Has sido elegido por tus habilidades especiales para participar en algo que se debe hacer urgentemente. Para más información, ven a la Sala de las Pelotas a las 3:30. No faltes. Merecerá la pena - $$$

DOS SEMANAS ANTES...

EL TIMO

GORDON KORMAN

SCHOLASTIC INC.
New York Toronto London Auckland Sydney
Mexico City New Delhi Hong Kong Buenos Aires

A Willie, G.F.

Originally published in English as *Swindle*

Translated by Ana Galán

ISBN-13: 978-0-545-16865-6
ISBN-10: 0-545-16865-1

12 11 10 9 8 7 18 19 20/0

Printed in the U.S.A.

First Scholastic Spanish printing, September 2009

The text type was set in ITC Century.
Book design by Elizabeth B. Parisi and Marilyn Acosta

IDEAS ÚTILES PARA ESCAPARTE POR LA NOCHE:

(i) Cuando mientas a tus padres, míralos a los ojos.

(ii) Asegúrate de que pides permiso para ir a dormir al sitio FALSO indicado. (Chicos: donde Stan Winter. Chicas: donde Karen Lobodzic)

(iii) Preséntate en la VIEJA MANSIÓN DE LOS ROCKFORD el viernes a las 8:30 p.m. (No te puedes equivocar. Hay una GRÚA con una BOLA DE DEMOLICIÓN gigante estacionada delante).

(iv) Entra por donde faltan unos tablones de la VENTANA SELLADA del primer piso, lado este.

(v) Trae tu SACO DE DORMIR. Recuerda: la vieja mansión de los Rockford es un EDIFICIO CONDENADO y lo van a derribar MAÑANA POR LA MAÑANA. No hay camas, ni agua, ni muebles, ni televisión...

Cuando Griffin Bing organiza un plan, todo es perfecto, hasta el último detalle. Ha pensado en todos los aspectos y posibilidades. Todos excepto uno: ¿qué pasa si nadie va?

—Seguramente no teníamos que haber puesto lo de que no hay televisión —dijo el amigo de Griffin, Ben Slovak, muy seriamente.

Griffin y Ben estaban sentados con las piernas cruzadas sobre sus sacos de dormir en lo que una vez fuera una sala muy elegante. Estaban rodeados de cortinas hechas jirones, restos de muebles antiguos y montañas de polvo. Todo a su alrededor en la vieja casa cavernosa chirriaba y crujía de manera tenebrosa. Afuera, rugía una gran tormenta.

Griffin apuntó con la linterna a su reloj: las 10:34 p.m.

—No lo puedo creer —dijo enojado—. ¿Por qué no ha venido nadie? ¡Veintiocho personas dijeron que iban a venir!

—A lo mejor van a llegar tarde —dijo Ben tristemente.

—Las nueve es llegar tarde. Las diez y media es no aparecer. ¿Es que no se respetan ni a sí mismos? Esto es como decir que está bien que los adultos nos pisoteen.

A Ben le hubiera encantado ser el número 29 de los que no habían aparecido. Lo único que lo había llevado allí era la lealtad a su amigo.

—Vamos, Griffin —razonó—. ¿Qué más da si hay dos o doscientas personas pasando la noche en una casa condenada? ¿Cómo va a demostrar esto a los adultos que estamos luchando por nuestros derechos? Nunca se van a enterar.

—Ya veremos —dijo Griffin testarudamente, sacando la mandíbula—. A veces tienes que demostrarte a ti mismo que eres más que un trozo de carne envuelto en plástico y puesto en el congelador. ¿Por qué crees que se me ocurrió la idea de decir que

íbamos a dormir en casa de alguien? Quería que todos tuvieran una buena excusa para estar aquí. Esa era la idea del plan.

El plan. Ben gruñó por dentro. Eso era lo mejor de Griffin, y también lo peor. Griffin era el Hombre del Plan.

—A lo mejor los demás querían venir pero les dio miedo —sugirió Ben.

—¿Miedo de qué? —lo retó Griffin—. ¿Del polvo? ¿De la lluvia? ¿De pasar una noche sin tele?

—Se supone que esta casa está embrujada —insistió Ben—. Ya sabes los rumores.

—¿Qué rumores?

—¿Por qué crees que está abandonada? Al viejo Rockford lo metieron en la cárcel por cortar a su esposa en pedazos con una sierra eléctrica. Eso fue lo que dijo Darren.

—¿Cuándo fue la última vez que de la cabezota gorda de Darren salió algo que mereciera la pena escuchar? —explotó Griffin—. Él también dice que es un pariente lejano de los Rockford, pero no tiene ninguna prueba. Además, en la época del viejo Rockford ni siquiera existían las sierras eléctricas.

—Pero tenían ferrocarriles —anotó

Ben—. Según Marcus, la verdadera arma del asesinato fue una escarpia de ferrocarril que le clavó en la cabeza.

Griffin no creía nada de eso.

—Le encanta tomarte el pelo. Ya sabes cómo le gusta engañar a la gente.

—Pero a Pitch no, y ¿sabes qué ha oído? Que la casa está embrujada con el espíritu del perro que el viejo Rockford trajo de Europa después de la Primera Guerra Mundial. O a lo mejor no era un perro.

Griffin miró al techo.

—¿Entonces qué era? ¿Un dragón de Komodo?

Ben se encogió de hombros.

—Nadie lo sabe. Pero a los pocos días de llegar al pueblo empezaron a desaparecer las mascotas. Al principio solo desaparecían los cachorritos y gatitos pequeños, pero pronto empezaron a desvanecerse perros San Bernardo ya grandes. Y había huesos enterrados por todas partes alrededor de la casa, solo que el viejo Rockford no le daba huesos a su perro.

Un relámpago reflejó unas extrañas sombras entre los tablones de madera que

tapaban las ventanas. Ben se detuvo para que su historia calara hondo.

—Algunos habitantes del pueblo decidieron meter mano en el asunto. Pusieron veneno para ratas dentro de un filete enorme y lo dejaron en los escalones de la entrada. Nunca se les ocurrió pensar que si el espíritu maldito podía vivir dentro de un perro también podía vivir dentro de cualquier otra cosa... como una casa—. Miró a su alrededor a las paredes ensombrecidas, como si esperara ver algo sobrenatural y espantoso atravesándolas.

—¡Sí, claro! —Griffin se negaba a estar asustado—. Las casas embrujadas no existen.

—Bueno, Marcus oyó la misma historia —dijo Ben aspirando por la nariz.

—De eso nada —le recordó Griffin—. Él oyó la historia de la escarpia de ferrocarril.

—Oyó las dos. Y Savannah también. Solo que en su versión no era un perro, sino un bebé.

—¿Por qué iba a envenenar la gente del pueblo a un bebé?

—No lo envenenaron. Se lo llevó un halcón. Pero el bebé fantasma echó una maldición en la casa para recuperar los años que no había podido vivir. Hubo una maestra, la primera persona que vivió en esta casa que no era de la familia Rockford, que después de que se mudó, nadie la volvió a ver nunca más, o a lo mejor sí. Algunos decían haber visto a una señora muy mayor asomada a la ventana del ático, pero la maestra solo tenía veintitrés años.

Una bocanada de viento entró por el alero y un rugido sobrenatural hizo eco a su alrededor. Ben escondió la cabeza dentro del cuello de su camisa como si fuera una tortuga, e incluso Griffin palideció un poco.

—No es por ofender, Ben, pero cállate ya. Estás empezando a darme miedo. —Griffin iluminó las paredes desnudas con la linterna—. Son casi las once. Ya no va a venir nadie. Cobardes.

—Es la escarpia de ferrocarril —dijo Ben nerviosamente—. Eso seguro que da un tremendo dolor de cabeza.

Griffin extendió su saco, se tumbó y colocó la linterna sobre su base como si fuera una lámpara en miniatura.

—Vamos a intentar dormir. Cuanto antes amanezca, antes nos podremos ir de esta ratonera.

—A lo mejor nos podríamos ir ya —sugirió Ben esperanzado—. Como no va a venir nadie más, nunca sabrán que al final no nos quedamos toda la noche.

A Griffin le espantó la idea.

—¿Quieres decir rendirnos?—. Esa palabra no estaba en su vocabulario.

—¡No quiero que un bebé fantasma me haga viejo!

—¡Eso es imposible! —exclamó Griffin.

—¿Quién ha dicho que tienes que creer en los fantasmas para tenerles miedo? —lo retó Ben—. Está bien. Me dormiré. —Se puso de lado, con las rodillas dobladas hasta el pecho—. Pero si al despertarme tengo ochenta y cinco años, me debes veinte dólares.

—Trato hecho.

Se tumbaron en silencio por lo que pareció mucho tiempo, escuchando el repiqueteo de la lluvia sobre el viejo tejado de pizarra.

Griffin observaba un agujero profundo en el techo del que alguna vez debía de haber colgado un candelabro.

—Espero que sepas lo mucho que te agradezco esto. Eres el único que tuvo el valor de hacerlo. —Su amigo no dijo nada, así que Griffin continuó—. Oye, de verdad. Los otros, mucho hablar, pero ¿dónde están? Darren retó a la mitad de sexto grado a que viniera. Incluso se rió de nosotros y dijo que éramos gallinas. Pero aquí ¿quién es el verdadero gallina? ¿Eh, Ben?

La respuesta de Ben fue una respiración lenta y tranquila. Casi como un… ¿ronquido?

—¿Ben?

Griffin se sentó y miró a su amigo. Ben estaba hecho una bola dentro de su saco de dormir, profundamente dormido.

Griffin dejó escapar un silbido de admiración. Una casa siniestra, una noche siniestra y Ben estaba lo suficientemente relajado para dormirse. A veces parecía que era muy cobarde, pero a la hora de la verdad, era un tipo increíble.

A Griffin le resultaba más difícil calmarse. No porque estuviera asustado. Para nada.

Griffin se quedó despierto porque seguía pensando en la razón por la que él y Ben estaban acampando entre montañas de polvo y un siglo de especulación sobrenatural.

Pensaba en su último plan.

En cuanto se anunció en el pueblo que se iba a organizar una reunión para decidir qué hacer con la tierra de los Rockford, Griffin dijo las cinco palabras fatídicas: "Vamos a pensar un plan".

PROPUESTA DE CONSTRUCCIÓN
EN LA PROPIEDAD DE LOS ROCKFORD
Griffin Bing-Diseñador Principal

(i) Este PLAN, aprobado por los CHICOS de CEDARVILLE, muestra cómo se puede transformar la vieja MANSIÓN DE LOS ROCKFORD en un PARQUE DE PATINES Y MONOPATINES, diseñado según el DIAGRAMA "A" de abajo (Escala: 1 pulgada = 12 pies)

Con la ayuda de Ben, algunos compañeros de su salón de clases y el Sr. Martínez, su maestro, Griffin preparó una propuesta seria para llevar al ayuntamiento. Pero cuando llegó la gran noche, el comité ni siquiera se dignó a escuchar su proyecto. Ya habían decidido lo que iban a construir: el museo de Cedarville.

A Griffin le molestó mucho eso. No solo por el hecho de perder, que por supuesto lo había decepcionado, sino por el hecho de haber sido ignorado completamente, apartado como un mosquito, solo porque era joven. Eso le parecía inaceptable. Por eso estaba ahí esa noche, en esa casa en ruinas. Por eso todo el mundo debería estar ahí, todos aquellos chicos que estaban hartos de que no contaran con ellos para nada en el ayuntamiento. Con esto no conseguirían que construyeran su parque de monopatines, pero por lo menos recuperarían algo de su orgullo.

En cualquier caso, a pesar de lo tenebroso, incómodo y aburrido que le resultaba estar ahí, era mejor que quedarse en su casa, escuchando desde su cama a sus padres discutir sobre dinero.

Le daba envidia que su amigo pudiera estar durmiendo. Por mucho que quisiera, Griffin estaba demasiado nervioso para conciliar el sueño.

Decidió empezar a vagar por la descascarada y vieja casa de los Rockford, iluminando con la linterna los pasillos y las habitaciones. Por lo menos había dejado de tronar y la tormenta se había reducido a una lluvia constante.

De pronto una criatura se posó en el pelo de Griffin.

Lo invadió el miedo. Se le cayó la linterna de la mano y, de repente, todo el cuarto se quedó completamente a oscuras. Se palpó desesperadamente la cabeza mientras su atacante batía las alas y se enredaba en sus rizos densos, chillando sin parar. En medio de la lucha, Griffin se tropezó con su propia linterna y se cayó, envolviéndose en telarañas a la vez que rodaba salvajemente por el suelo. Notó un cuerpo cubierto de pelo corto, una piel gomosa y unas uñas afiladas que se agarraban con fuerza, mientras su resbaladizo asaltante se le escapaba de las manos.

La lucha terminó tan inesperadamente como había empezado. La criatura consiguió desenredarse y salió volando, dejando a Griffin todo retorcido. El chico recogió la linterna justo a tiempo para ver un murciélago negro que se alejaba por las escaleras.

"Estás bien —se dijo a sí mismo—. Asquerosidad total, peligro mínimo".

Frunció el ceño. Al fondo, iluminado con el haz cónico de luz, había un mueble. La casa la habían vaciado antes del día de la demolición, pero habían dejado una especie de escritorio antiguo.

Se puso de pie y se acercó a investigar. No era precisamente un mueble de coleccionista. Estaba machacado y rajado, y la tapa corrediza se había quedado atascada en un ángulo extraño. Bajo la luz de la linterna, Griffin abrió los cajones y compartimentos. No había nada de interés, solo polvo y alguna araña muerta.

Un cajón pequeño no se abría. Griffin tiró con fuerza y se quedó con el tirador en la mano. Intentó meter los dedos por la rendija del cajón, pero no consiguió moverlo.

Se apoyó en el borde del secante para

recuperar el aliento y, al hacerlo, apretó un pequeño botón con el trasero.

¡Clic! El cajón de repente se abrió.

"¡Un botón para abrir! ¡Esto debe de ser algún escondite secreto!"

Emocionado, iluminó el interior del estrecho compartimiento. Vacío.

"No, espera..."

Vio en el fondo del cajón algo de color. Metió la mano y sacó una tarjeta vieja y descolorida. En el centro tenía un dibujo de una hogaza de pan, rodeada por las palabras: PRODUCTOS TOP DOG BAKERY — PARA LOS SÁNDWICHES DE LOS CAMPEONES.

Le dio la vuelta y la examinó.

Había un dibujo a color de un jugador de béisbol listo para batear. La imagen no era muy detallada, pero la cara le resultaba familiar. Griffin leyó el nombre que había debajo:

GEORGE HERMAN (BABE) RUTH

¡Una tarjeta de béisbol! Y además tenía que ser muy vieja porque Babe Ruth había jugado hacía mucho tiempo. Griffin no era un experto, pero todo el mundo sabía que

las tarjetas de béisbol viejas podían valer un montón de dinero.

Dinero... solo de pensar en esa palabra le daba dolor de estómago. Por aquella época, la familia Bing luchaba por salir adelante. La cosa se había puesto tan mal que sus padres hablaban de vender la casa y mudarse a un barrio más asequible.

—De eso nada —dijo Griffin en voz alta, apretando los dientes. Llevaba once años en ese pueblo y no estaba dispuesto a rendirse sin luchar.

Y si esta tarjeta resultaba ser valiosa...

"Sácatelo de la cabeza", se riñó a sí mismo. ¿Qué probabilidad había de que alguien hubiera dejado ahí una pieza valiosa de coleccionista para que acabara destruida en un edificio condenado?

Aun así podía ser posible. Todavía había esperanzas...

Hizo una mueca. Griffin no era de esas personas que se ilusionaban fácilmente. Su filosofía era que si quieres algo, tienes que hacer que suceda. No puedes esperar a que se convierta en realidad.

Aun así no podía quitarse la imagen

tentadora de la cabeza: el fin de los problemas financieros de su familia, no más ojeras en las caras de sus padres por haberse quedado despiertos media noche intentando exprimir dinero de una cuenta bancaria que estaba vacía…

Incluso el Hombre del Plan podía soñar cuando había tanto en juego.

El fuerte rugido de un motor despertó a Ben de su sueño profundo. Se sentó de golpe y se frotó los ojos, que parecían estar pegados con pegamento. Aquella no era su cama. ¿Dónde estaba?

El ruido del motor era tan intenso que sentía las vibraciones en el estómago.

"¿Qué es lo que hace ese ruido? ¿El camión de la basura? ¿Una taladradora?"

Consiguió concentrarse lo suficiente para ver la sala dilapidada que lo rodeaba.

"¡Una grúa con una bola gigante de demolición!"

—¡Griffin!

Un bulto se movió dentro del saco de dormir de Griffin.

Ben abrió la cremallera para despertar a su amigo.

—¡Griffin! ¡Despierta!

—¿Qué?

—¡Es por la mañana! ¡Están demoliendo la casa!

Griffin saltó como el corcho de una botella de champán.

—¡Vámonos de aquí! —gritó.

Los dos se dirigieron rápidamente a la ventana. Toda la casa vibraba con el sonido clamoroso de la grúa. Griffin llegó primero, metió los sacos de dormir por el agujero de los tablones y después ayudó a Ben a salir. Después se metió él, pero cuando tenía medio cuerpo en el alfeizar de la ventana, se dio cuenta de que no podía ir para atrás ni para delante.

—¡Estoy atascado! —exclamó.

Ben lo agarró de las muñecas y tiró con todas sus fuerzas, pero Griffin siguió atorado en el hueco.

Un tremendo estruendo movió la estructura y la tierra bajo los pies de Ben. El impacto hizo que Griffin se desatascara de la ventana y saliera volando por encima de Ben. Los dos se incorporaron, aturdidos. Griffin estaba blanco, cubierto de polvo de escayola de la cintura para abajo.

—¡Corre! —aulló.

Salieron volando, arrastrando los sacos de dormir detrás de ellos. Al doblar la esquina, una vista aterradora se presentó ante sus ojos: la inmensa bola de demolición estaba enterrada en la fachada destrozada de la vieja mansión de los Rockford.

Como si necesitaran otra razón para salir de ahí, en ese momento vieron al capataz de la obra.

—¡Oigan, ustedes! ¡Esta es una zona activa de demolición!

El entrenador Nimitz se hubiera quedado impresionado de la velocidad y potencia de su escapada, que era mucho mejor de lo que jamás hubieran mostrado en la clase de gimnasia. Los dos siguieron como balas durante varios minutos, azuzados por una serie de estruendos que sonaban detrás de ellos. Cuando llegaron a la mitad del pueblo, Griffin anunció que la costa estaba despejada y que podían bajar la marcha y caminar.

—La próxima vez que tengas otra idea

brillante de pasar la noche en una trampa mortal —dijo Ben jadeando—, haz como si no tuvieras mi número. —A lo lejos se oía el retumbar grave, seguido por las sacudidas de la tierra—. Nos escapamos por un pelo y mi madre no me trajo a este mundo para acabar convertido en escombros.

—El que no arriesga no gana —dijo Griffin intentando recuperar la respiración.

—Ya ves lo que hemos ganado. Nos acabamos de vengar del ayuntamiento por no construir nuestro parque de monopatines, pero el caso es que, salvo nosotros, nadie se ha enterado.

Griffin sacó la tarjeta de Babe Ruth de su bolsillo y se la pasó por delante de las narices a su amigo.

—Lee y lloriquea —dijo, y a continuación le hizo un resumen a Ben de cómo había descubierto el cajón secreto.

—Babe Ruth, fíjate. ¿Crees que es de verdad?

Griffin se encogió de hombros.

—Supongo. Casa vieja, tarjeta vieja. La cuestión es ¿qué valor tiene?

—Pero, Griffin, esa tarjeta no es tuya —susurró Ben.

Griffin señaló la nube de polvo que flotaba en el aire unas cuadras detrás de ellos.

—Cuando derribas una casa, en realidad la estás tirando a la basura. Sacar algo de la basura no es robar, ¿no? Además... —Miró la tarjeta tristemente—. ¿El sándwich de los campeones? Seguramente no tiene ningún valor. Yo nunca tengo tanta suerte.

—¿Cómo podríamos saberlo de verdad? —preguntó Ben.

—Hay expertos en este tipo de cosas.

Los ojos de Ben se abrieron mucho.

—¿El Emporio de Timoteo?

Griffin sonrió valientemente.

—Vamos a que la tasen.

El Emporio de Artículos Memorables y de Colección de Timoteo era una verdadera fortaleza. Estaba localizado justo pasada la calle principal del pueblo, en un edificio bajo rodeado por una valla de metal que a Griffin siempre le recordaba un campo de prisioneros de guerra. De pequeños, a él y a Ben les fascinaba el escaparate de piedras sepulcrales que había en el pequeño jardín. Ahora, en lugar de lápidas había hierba descuidada y un perro grande que afortunadamente estaba dormido.

Griffin señaló la puerta principal.

SE VENDEN Y COMPRAN OBJETOS ANTIGUOS
LOS MEJORES PRECIOS GARANTIZADOS
TIMOTEO S. WENDELL, DUEÑO Y PROPIETARIO

Aunque vivían a menos de una milla, esta era la primera vez que entraban en la tienda. Los chicos casi nunca iban ahí. Era más un museo que una tienda divertida. Un museo donde se podía ver pero no tocar y donde todo estaba vigilado por guardias de aspecto siniestro. No había filas de estanterías con libros, juguetes, baratijas, tarjetas o recuerdos. En el Emporio de Timoteo todo estaba congelado en vitrinas de cristal, iluminadas con luces potentes y con cables de seguridad. El lugar era tan frío como la caja fuerte de un banco.

Ben se acercó a uno de los escaparates para ver un muñeco de un superhéroe y se quedó boquiabierto al ver el precio.

—¿Seiscientos cuarenta dólares? ¿Están locos?

Un señor alto y cadavérico con una franja de pelo blanco alrededor de una gran calva se acercó a él.

—Es un muñeco auténtico del Sr. Spock de 1966, de la serie clásica de televisión de La Guerra de las Galaxias, y todavía tiene su caja original.

Ben frunció el ceño.

—¿Qué niño se puede gastar seiscientos dólares en un juguete?

—Tú lo has dicho —asintió el hombre—. Esta no es una tienda de juguetes. Los artículos de coleccionista no son para niños. Son una inversión seria.

—¿Es usted el Sr. Timoteo? —preguntó Griffin.

—Yo soy Tom Dufferin, el ayudante del gerente. —Estiró un brazo huesudo y señaló a otro hombre que estaba detrás de un mostrador largo, metiendo libros de tiras cómicas en unas fundas de plástico en las que entraban perfectamente—. Ese que está ahí es el gran jefe.

El Sr. Timoteo Wendell era bajo, compacto y sorprendentemente joven. Griffin calculó que debía de tener alrededor de unos treinta y cinco años, no era tan viejo como Tom Dufferin. Su pelo casi rizado (pero no del todo) se escondía bajo su gorra de los Rangers de Nueva York. Llevaba unas gruesas gafas que hacían que los ojos parecieran el doble de grandes, como si fueran dos huevos fritos, que dirigió de inmediato a los visitantes de sexto grado.

—¿En qué puedo ayudarlos, jóvenes?

Griffin sacó la tarjeta de Babe Ruth.

—Estoy pensando en vender esto. He oído que usted garantiza los mejores precios.

El hombre extendió su mano regordeta y aceptó la última pieza que se mantenía en pie de la herencia de los Rockford. Sus cejas espesas se levantaron de golpe hasta el logo de los Rangers de su gorra.

Griffin se puso alerta inmediatamente.

—¿Es valiosa? —preguntó.

Timoteo sonrió brevemente.

—Bueno, lo sería si fuera auténtica. Mira, en los años sesenta y setenta se volvieron a emitir muchas de las series de tarjetas de béisbol. Esta, la que pone Top Dog Bakery, se reprodujo en 1967. Ya había visto un par de tarjetas como esta antes, pero hace mucho tiempo. Es una reproducción de una calidad excelente. —Puso la tarjeta bajo una lupa muy grande que estaba clavada al mostrador—. ¿Ves este borde liso azul? En la original era de rayas. No permitían hacer réplicas exactas porque hubieran violado las leyes de la falsificación. Por eso sabemos que es una copia.

Ben notó la cara de decepción de Griffin.

—1967 fue hace mucho tiempo —dijo esperanzado—. Debería de tener algo de valor, ¿no?

—Absolutamente —confirmó el comerciante de objetos de colección—. Una vez vi una colección de estas que se vendió por mil quinientos dólares. Pero por una sola tarjeta como esta... está bien, realmente tengo el corazón blando. Te daré cien dólares por ella.

Griffin suspiró, sus visiones de arreglar todos los problemas de su familia se reventaron como pompas de jabón. Aun así, era un buen negociante.

—Ciento cincuenta —dijo instantáneamente.

Timoteo sonrió.

—Eres duro de tratar, jovencito. Dejémoslo en ciento veinte.

—Vendida.

El comerciante contó seis billetes crujientes de veinte dólares que estaban en un rollo y aceptó la tarjeta a cambio. Los chicos miraron por encima del mostrador para ver cómo giraba la manecilla de una caja de seguridad portátil que estaba en el suelo, a sus pies. Abrió la puerta y metió su nueva adquisición.

Griffin frunció el ceño.

—Si la tarjeta no tiene valor, ¿por qué la mete en la caja fuerte?

—Esto no es Toys 'R' Us, jovencito —le sermoneó Timoteo, que se había quedado sin aliento por el solo hecho de enderezarse—. En el Emporio de Timoteo nos tomamos la seguridad muy en serio. Una tarjeta de béisbol es la cosa más fácil de llevarse. Te la metes en el bolsillo y nadie se da cuenta. Se quedará en la caja fuerte hasta que la catalogue y esté lista para ponerla en la vitrina.

—¿Y no pueden robar la caja fuerte? —preguntó Ben.

—Qué locura, muchachos —bufó el comerciante—, qué ideas tienen. Robar la caja fuerte. Qué chistoso.

Griffin defendió a su amigo.

—Lo dice porque no es muy grande y tiene un asa encima. Alguien la podría levantar y llevársela por la puerta.

Timoteo les pidió a los dos chicos que pasaran detrás del mostrador.

—Muy bien, muchachos, inténtenlo.

Griffin y Ben agarraron el asa y tiraron con decisión. La caja no se movió.

—Vamos. —Ahora el comerciante estaba sonriendo—. ¡Un poco de músculo!

Gruñendo del esfuerzo, tiraron con todas sus fuerzas. Nada.

Timoteo se rió en su cara.

—¡Está clavada al suelo!

Avergonzados, Griffin y Ben salieron de detrás del mostrador y se dirigieron a la puerta.

Tom Dufferin les ofreció una sonrisa comprensiva cuando pasaron por su lado.

—No son los primeros en intentarlo y dudo que sean los últimos.

—Ha sido un placer hacer negocios con ustedes, jovencitos —les dijo Timoteo—. Vuelvan cuando quieran.

Al pasar al lado del perro dormido y

cruzar la valla, los dos chicos se relajaron notablemente. Había algo en el Emporio de Timoteo que los ponía nerviosos, era como si la tienda tuviera su propio campo de energía.

Ben tomó una buena bocanada de aire fresco.

—Siento que no seas rico.

Como respuesta, Griffin sacó su dinero, desenrolló tres billetes de veinte y se los dio a Ben.

—Tu parte —dijo.

—Yo no hice nada —protestó Ben.

—Claro que sí. Seguiste con el plan cuando todo el resto se rajó.

Así era Griffin. Siempre con un plan, aunque el plan casi los hubiera dejado enterrados debajo de un edificio.

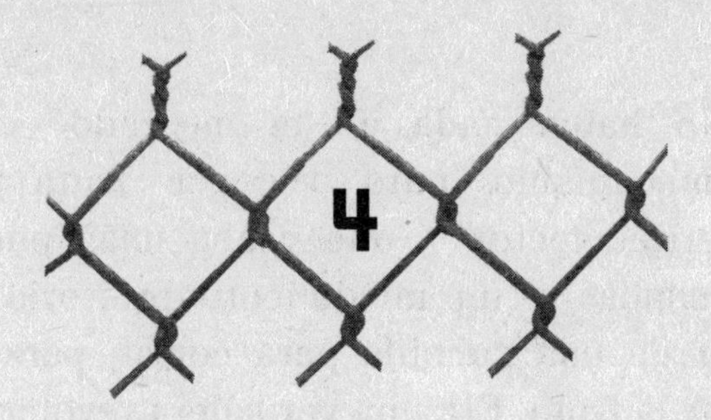

La luz del garaje estaba encendida.

Eso no era ninguna sorpresa, la luz del garaje siempre estaba encendida. Desde que Griffin recordaba, su padre se había dedicado a hacer sus inventos y sus regueros ahí abajo. Pero nunca había estado tan obsesionado con una de sus creaciones como para dejar su trabajo de ingeniero y dedicarse a ella a tiempo completo.

El SuperRecolector™. El recolector de fruta del futuro. Cuando Griffin bajó al garaje esa tarde para alejarse de la discusión de sus padres, vio el prototipo en el banco de trabajo. Griffin apretó un botón y un tubo telescópico de aluminio salió hacia delante. Le dio al control en dirección contraria y el tubo se volvió a meter.

No había nada en el mercado como el mecanismo para recoger fruta del SuperRecolector™, que usaba unas pinzas acolchadas y un movimiento rotatorio en lugar de una cuchilla para cortar, para no dañar la fruta. Era una verdadera revolución en la agricultura. Solo que…

"¿Quién necesita un SuperRecolector cuando hay humanos perfectamente dotados con manos reales?"

Griffin se sentía culpable por sus pensamientos desleales, pero su sentido común no lo dejaba tranquilo. Los Bing habían apostado todo su futuro en el famoso invento revolucionario. Si no fuera por él, su padre todavía tendría su trabajo y no estarían pensando en mudarse. Por culpa del SuperRecolector sus padres estaban ahora en la cocina tirándose del pelo por una factura que no podían pagar. Sus fuertes voces se oían por toda la casa, discutiendo y agonizando sobre si debían vender A para pagar B, evitar gastos, gastar menos, ahorrar, ahorrar, ahorrar.

Y lo peor era que Griffin no podía hacer

absolutamente nada. Ahí estaba, el Hombre del Plan, que con toda la ayuda que prestaba a su familia lo mismo podía ser un muñeco de plastilina. Era demasiado joven para conseguir un trabajo. Ni siquiera podía darles los sesenta dólares que había ganado con la venta de la tarjeta de Babe Ruth sin confesar toda la historia de cómo se escaparon de la casa de los Rockford.

Al volver a poner en su sitio el SuperRecolector, el tubo chocó con la antena de la vieja televisión en blanco y negro de su padre. Por un instante, la pantalla de diez pulgadas reflejó una cara familiar antes de volver a ponerse en blanco y tener más interferencias.

¿Cómo?

Griffin movió la antena hasta que volvió la imagen. No, no había tenido visiones. La cara inconfundible de Babe Ruth le sonreía. ¡Era la tarjeta de béisbol de la vieja mansión de los Rockford!

Subió el volumen.

—Cuando compré la colección no tenía ni idea... pero en el momento en que le puse los ojos encima... me pareció increíble...

Griffin reconoció la voz jadeante, como si el que hablaba acabara de correr una maratón.

Los ojos de huevos fritos de Timoteo S. Wendell aparecieron en la pequeña pantalla.

"¿Qué hace en la tele un tipo que vende muñecos de la Guerra de las Galaxias a precios altísimos?", se preguntó Griffin.

El comerciante estaba en el jardín del Emporio de Timoteo, mostrando la tarjeta de Babe Ruth a un grupo de reporteros y camarógrafos.

—Hay muchas tarjetas parecidas por ahí —estaba diciendo una mujer—. ¿Qué hace que esta sea tan especial?

—Se imprimió en 1920 —explicó Timoteo—. Fue la primera temporada de Ruth con los Yankees. Pero miren el dibujo...

Un camarógrafo acercó la imagen.

—Lleva el uniforme de los Medias Rojas —observó.

Timoteo asintió entusiasmado.

—Así es. La gente de la Top Dog Bakery quería competir con las compañías de tabaco y goma de mascar que dominaban el mercado de las tarjetas de béisbol. Las tarjetas ya se

habían empezado a imprimir antes de que se cerrara el trato. Consiguieron parar casi toda la impresión, pero salieron a la circulación doscientas copias. Hoy solo quedan unas cuantas. Eso es lo que hace que esta tarjeta sea tan valiosa.

Griffin notó que le hervía la sangre. ¡Ese mentiroso, ese tramposo! Dijo que era falsa, ¡una copia de los años sesenta! ¡Se inventó toda la historia sobre el borde liso en lugar del borde a rayas!

—¿En cuánto la valora, Timoteo? —preguntó otro reportero—. ¿Por cuánto la vende?

—Caballeros, caballeros. —El comerciante sonreía, obviamente disfrutando cada minuto—. Este no es el típico objeto al que se le puede poner una etiqueta con precio y ponerlo en el escaparate. La tarjeta se venderá al mejor postor de la Subasta Anual de Objetos Deportivos Memorables de Worthington el 17 de octubre. La puja inicial será de —hizo una pausa dramática— doscientos mil dólares.

Griffin casi se ahoga.

Los reporteros estaban estupefactos.

—¿Cree que le van a pagar tanto? —preguntó una mujer.

—Creo que me van a pagar más —contestó Timoteo presumidamente—. Los especímenes de la famosa colección T-206 normalmente se venden por cantidades de seis cifras. La tarjeta legendaria de 1909 de Honus Wagner se vendió recientemente por más de dos millones. Este error de imprenta, en el que sale el Bambino con el uniforme de los Medias Rojas, es igual de raro. Los de Worthington creen que puede llegar a ser la segunda tarjeta de la historia que rompa la barrera del millón de dólares.

¡Un millón de dólares!

Griffin no lo podía creer.

"La tuve en la palma de mis manos, ¡era todo lo que necesitaba para arreglar nuestros problemas de dinero para toda la vida!"

—¡Voy a casa de Ben! —gritó Griffin hacia la cocina. No quería esperar a la respuesta de sus padres, que seguían discutiendo sobre la chequera.

"¡No estarían discutiendo si no hubiera sido por Timoteo S. Wendell!"

Saltó a su bicicleta y pedaleó por la

rampa del garaje. Esperaba que sus padres estuvieran lo suficientemente ocupados para no mirar por la ventana y notar que había girado a la izquierda, en dirección contraria de la casa de los Slovak. Tenía otro destino en mente.

Llegó al Emporio de Timoteo justo cuando se estaba terminando la rueda de prensa. Los reporteros y sus equipos se encaminaban hacia la puerta, bajo la mirada atenta del perro doberman pinscher.

—Perdona, chico—. Uno de los del equipo de sonido apartó a Griffin al pasar a su lado, empujándolo con el palo de un micrófono.

De pronto, Griffin se dio cuenta de que no tenía ni idea de lo que iba a hacer después. Era el Hombre del Plan, pero no sabía lo que haría una vez que entrara en la tienda.

¿Qué iba a decir? ¿Esa tarjeta no es suya, es mía? Técnicamente eso no era verdad. Griffin se la había vendido y le habían pagado el precio acordado. Sí, Timoteo lo había engañado al dar a entender que la tarjeta no era auténtica. Era una mentira y un engaño, algo ruin. Pero el ser ruin, en sí mismo, no iba en contra de la ley.

Además, ¿qué pasaría si nadie le creía? No tenía pruebas de que él había sido el que encontró la tarjeta, excepto la palabra de Ben. Los adultos ni siquiera escuchaban a los niños de once años. En la reunión del ayuntamiento se negaron a escuchar su presentación de tres minutos sobre el parque de monopatines. ¿Por qué iban a aceptar ahora la palabra de dos niños cuando había un millón de dólares en juego?

Cuando se fueron los reporteros, Griffin se aventuró a entrar en la tienda. El doberman bloqueaba la puerta de delante y enseñaba los dientes. Además de todo lo que intimidaba en ese sitio, había que añadir un perro de guardia.

—Tranquilo, Luthor —dijo una voz desde dentro.

El doberman se apartó de mala gana y Griffin entró. Timoteo estaba en su sitio habitual detrás del mostrador. Con esfuerzo, desvió su atención de la tarjeta que tenía en la mano.

—¿En qué te puedo ayudar, jovencito?

—Usted lo sabía —acusó Griffin—. En el minuto en el que la tuvo en la mano sabía que no era falsa.

—Espera —dijo el comerciante—. ¿Estás diciendo que la porquería que me vendiste es esta tarjeta? Encontré esta tarjeta en una colección que compré en una venta testamentaria en la Costa Oeste. Buena suerte, a veces pasa. Alguien me debe querer.

—Entonces ¿dónde está mi tarjeta? —exigió Griffin—. Enséñeme mi porquería sin valor al lado de su tarjeta valiosa de Babe Ruth.

—Ya la vendí. Y además perdí dinero. Tuviste suerte de que te la pagara tan bien.

Griffin se le quedó mirando, impresionado por la increíble deshonestidad del hombre. Este no era un niño, era un adulto, el dueño de un negocio. ¿Cómo podía actuar así?

Timoteo volvió a hablar.

—Unas palabras sabias: el mundo es un lugar feo, malo y tenebroso, lleno de gente que te comerá y te escupirá si se lo permites. Considera esta como tu primera lección.

—Yo vine aquí para hacer un trato justo —soltó Griffin.

—Mira, bájate de tu caballo —dijo el comerciante despectivamente—. Tú querías dinero, igual que yo quiero dinero. Todo el

mundo quiere dinero. Solo que a algunos se nos da mejor que a otros. Eso es todo.

Griffin entrecerró los ojos.

—No se va a salir con esta.

—Ahí estás equivocado, muchachito —dijo Timoteo riéndose—. ¿Has oído alguna vez decir que la posesión corresponde a nueve décimos de la ley? En el juego de los coleccionistas, es diez décimos de la ley. Ahora, vete de mi tienda—. Se metió uno de sus dedos rechonchos en la boca y soltó un silbido muy fuerte.

Con un gruñido que era más bien un rugido, Luthor entró corriendo en la tienda. El doberman salió disparado hacia Griffin y este retrocedió, chocando dolorosamente contra una vitrina llena de figuritas de Yoda. Las mandíbulas amenazantes del perro estaban a unos centímetros de su barbilla, que temblaba sin parar.

—Tranquilo, Luthor —le ordenó Timoteo con una sonrisa—. Nuestro amigo ya se estaba yendo.

El perro retrocedió medio paso, pero no más. Aterrorizado, Griffin consiguió pasar al lado de los Yodas y avanzar en dirección a la salida.

—Gracias por tu visita. Por favor no vuelvas nunca más —canturreó el comerciante alegremente mientras Griffin se daba la vuelta y salía corriendo.

Una vez de vuelta en su bicicleta, Griffin luchaba por poner en orden la ola de pensamientos que daban vueltas en su cabeza.

(i) ¡¡Me han ENGAÑADO!!

El imaginarse la frase como hubiera aparecido en uno de sus famosos planes le hacía sentirse un poco más bajo control. Lo habían engañado, eso era exactamente lo que le había pasado. Y no era tan solo por una simple tarjeta de béisbol. Era un millón de dólares que hubiera servido para desarrollar el SuperRecolector. Incluso si el invento resultara ser un desastre, con el dinero su padre podría encontrar otro trabajo y empezar de nuevo. ¡Era el futuro de la familia Bing!

Había llegado la hora de que el Hombre del Plan trazara el plan más importante de su vida.

¿Pero en qué podía consistir? ¿Una demanda? Los Bing apenas podían pagar la hipoteca, ¿de dónde iban a sacar dinero para los abogados?

No, solo había una manera de recuperar la tarjeta.

Timoteo se la había robado.

Griffin tenía que combatir el fuego con fuego.

A Ben casi se le salen los ojos de la cabeza.

—¿Que quieres hacer qué?

—Shhh —susurró Griffin. Era la hora del almuerzo y el patio de la escuela estaba lleno de gente—. Un atraco.

—¿Cómo en las películas? ¡Eso es robar!

—No es robar —corrigió Griffin—. Es devolver el robo. Hay una gran diferencia.

—¿Crees que la policía va a pensar eso?

—¿Qué pensaría la policía del dueño de una tienda que se dedica a engañar a niños? —lo retó Griffin.

—Menudo timador. Desde luego nadie debería fiarse de alguien cuyo nombre suena a timo —dijo Ben suspirando.

—Realmente es un timador —asintió Griffin—. Lo que me ha hecho es un verdadero timo. Y la única manera de recuperar la tarjeta es quitándosela. ¿Qué dices?

Una mano se posó en el hombro de Ben.

—Yo digo que es la hora de que el Sr. Slovak se tome su medicina para la alergia —dijo la enfermera Savage.

—¡Ay, sí! —exclamó Ben, sorprendido. Lo peor sería que la enfermera de la escuela hubiera escuchado lo que habían hablado. Empezó a seguirla por un laberinto de cuerdas de saltar.

Griffin agarró a su amigo por la muñeca.

—Oye, si tienes tantas alergias —dijo en voz baja—, ¿por qué no estornudaste con el moho y el polvo que había en la vieja mansión de los Rockford?

Ben se encogió de hombros.

—A lo mejor la medicina realmente funciona.

La enfermera Savage sujetó la puerta para que pasara Ben, y este desapareció dentro del edificio.

—¿Qué demonios...

Griffin notó algo dentado que le arañaba

la parte de detrás del cuello. Se dio la vuelta para sorprender a un chico de sexto grado del tamaño de un defensa de la NFL pinchándolo con una rama larga.

—Darren, ¿qué haces? —gritó Griffin.

—¿Es que no lo ves? —Darren Vader se burló y le clavó el palo en la nariz a Griffin—. Estoy probando mi nuevo invento, el TontoRecolector. Ay, perdona, creía que tu cabeza era un coco.

Enojado, Griffin apartó la rama de un manotazo.

—Es SuperRecolector, idiota, ¡y es un milagro de la tecnología! —Nunca hubiera admitido sus propias dudas sobre el invento de su padre delante de Darren—. Y no sabrías nada si no hubieras estado husmeando.

—No estaba husmeando —se defendió Darren—. Mi madre tenía los papeles abiertos en la mesa de la cocina—. La Sra. Vader era la abogada que había solicitado la patente del SuperRecolector.

—Sí, y tú tenías que comentarlo por toda la escuela —dijo Griffin.

—Oye, perdona si conseguí que un invento tan brillante se llevara un poco de mérito. A

lo mejor un día se hacen ricos, ya sabes, el día que millones de personas decidan dejar sus trabajos y dedicarse a recoger fruta.

—¡Cállate! —tronó Griffin—. Tú siempre hablas mucho, pero a la hora de la verdad no haces nada. ¿Qué pasó con la vieja mansión de los Rockford? ¿Eh? ¿Dónde te metiste el viernes por la noche?

—Me enfermé —mascullό Darren.

—No tienes pinta de estar muriéndote.

—¡Fue una gripa de veinticuatro horas! —exclamó Darren.

—Sí, parece que mucha gente se contagió —dijo Griffin con gesto de reproche y levantando la voz para que lo oyeran otros chicos de sexto grado que estaban por ahí—. Menuda manera tienen ustedes de mostrar solidaridad, dejándonos a Ben y a mí solos para representar a todos los chicos de este pueblo.

—Perdona, Griffin —dijo Antonia Benson, a la que todo el mundo llamaba Pitch—. Fui con mi familia a un sitio de esos de escalar paredes. Se me pasó totalmente.

—A mí también —admitió Marcus Oliver—. Me quedé totalmente en blanco.

Griffin no estaba convencido.

—Pues parece que lo que no se les pasó totalmente fue contarle a Ben todas esas historias sobre escarpias de ferrocarril y mascotas malditas.

—Las mascotas malditas no existen —sermoneó Savannah Drysdale—. Los animales son inocentes por dentro. Y hablando de animales, esa es la razón por la que no pude ir el viernes. Madame Curie, mi hámster, estaba a punto de tener bebés.

—¿Y? —preguntó Pitch.

—Un macho —informó Savannah alegremente— y otro macho. Y tres hembras.

—Yo no me lo perdí por una excusa tan tonta como esa —dijo Logan Kellerman altivamente—. Tenía una prueba para un anuncio de una crema para el acné. Me tuve que quedar en casa para practicar.

—¿Practicar qué? —se rió Darren—. ¿El apretarte las espinillas?

—Eso demuestra lo mucho que sabes de actuación. Todo consiste en la emoción. La audiencia realmente tiene que creer que estoy hecho polvo porque me ha salido un grano.

—Tú si que eres un grano —gruñó Darren.

—Por el motivo que sea, todos lo sentimos mucho, Griffin —añadió Pitch—. No deberíamos haberte dejado colgado así. A lo mejor alguno de nosotros tenía un poco de miedo. A lo mejor pensamos que no merecía la pena. Al pasar por delante de todos esos escombros esta mañana me hubiera gustado estar ahí. Nosotros nos lo perdimos.

—Desde luego que se lo perdieron —dijo Griffin con resentimiento. Pero con el fruto de su aventura, la tarjeta de Babe Ruth, en las manos rechonchas de Timoteo S. Wendell, no estaba de humor para decirles por qué.

* * *

Los alumnos del Sr. Martínez estaban trabajando en sus redacciones cuando Ben volvió al salón. Evitó la mirada de Griffin deliberadamente al sentarse al lado de su amigo.

—Tenemos que vernos después de la escuela para empezar a trabajar en el plan —susurró Griffin emocionado.

Cada segundo que había pasado con la enfermera, Ben había estado temiendo esta conversación. Ben siempre había participado en los planes de Griffin, desde que usaban bicicletas con ruedines. Había sido una presencia constante como el amanecer. Eso es lo que lo hacía tan difícil.

—Griffin, no puedo hacerlo.

—Obviamente tendremos que vigilar la tienda —continuó Griffin—. Ya sabes, para determinar los puntos débiles…

Ben ni siquiera estaba seguro de que Griffin hubiera oído su comentario. Una vez que su amigo ponía la cabeza en una misión, ni siquiera un terremoto lo podía distraer.

—Oye, no me estás escuchando. No puedo hacerlo. La respuesta es no.

Eso fue un verdadero terremoto.

—¿De qué hablas? —preguntó Griffin—. ¿Por qué no?

Ben lo miró desesperado.

—¿Por dónde empiezo? Es ilegal, nunca lo conseguiremos y está sencillamente mal.

—No está mal —dijo Griffin obstinadamente—. Lo que hizo el Timoteo Timador, eso sí que está mal. Nosotros vamos a hacer que vuelva a estar bien.

—Como quieras, no está mal, pero no deberíamos hacerlo nosotros. No somos ladrones. Ya sé que decimos que los niños pueden hacer lo mismo que los mayores, pero esto no.

La voz de Griffin subió de tono y volumen.

—¡Entonces gana el Timador!

—Shhh —silbó el Sr. Martínez desde detrás de su escritorio.

—¿Cómo puedes dejar que ese bandido se salga con la suya y nos time? —siguió Griffin con una voz un poco más baja—. ¿Cómo puedes dejar que se haga rico con esto? Esa es mi tarjeta, mi dinero. Nuestro dinero, ¡porque yo pensaba darte la mitad!

—Yo no quiero ser rico —respondió Ben—. Está bien, a lo mejor sí, pero no de esta forma.

—Chicos, silencio —les advirtió el maestro.

—Tengo que hacerlo —suplicó Griffin—. No te puedo decir por qué, pero hay una buena razón. De todos mis planes, este es el más importante.

—¡Tú siempre dices eso! Todos los planes son los más importantes, hasta que llega el siguiente.

—¡Esta vez es verdad! —exclamó Griffin—. El dinero...

—Griffin y Ben —interrumpió el Sr. Martínez enojado—. Como no pueden trabajar juntos y en silencio en sus escritorios, van a tener que cambiarse de sitio. Ben, ve ahí y siéntate con Logan. Griffin, ve al escritorio vacío que hay detrás de Melissa.

—Pero Sr. Martínez... —empezó a decir Griffin.

—Ahora.

Mientras recogía sus papeles, Griffin miró a su amigo con cara suplicante.

Ben apenas pudo reunir la energía necesaria para negar con la cabeza.

Griffin estaba totalmente desesperado. Un año tras otro, siempre había habido algo en lo que podía contar aunque hubiera inundaciones o ataques de asteroides: el hecho incambiable de que Ben estaría dispuesto a seguirlo a donde fuera.

Pero hoy, cuando había tanto en juego, su amigo leal lo había abandonado.

Nunca se había sentido tan indefenso.

"Logan Kellerman es un tonto".

Esa era la conclusión a la que Ben había llegado después de sentarse tres días al lado del chico. La prueba para el anuncio de la crema para el acné no le había salido bien, y Logan no podía pensar en otra cosa. Se sentaba desplomado en su escritorio, con su cara que ya de por sí era larga adoptando proporciones de plátano, echándole la culpa de su fracaso a todo el mundo menos a sí mismo: el director del casting, sus padres y Sanjay Jotwani.

—¿Quién es Sanjay Jotwani? —le preguntó Ben sin mucho interés.

—Es el mejor profesor de actuación que ha salido de la India —le dijo Logan—. Da

clases privadas en la ciudad. ¿Y a qué no sabes los padres de quién son demasiado tacaños para pagarlas?

Ben lanzó una mirada al otro lado del salón de clases, donde estaba Griffin sentado detrás de Melissa Dukakis. Eso era lo que realmente le molestaba a Ben, la causa por la que tenía tan poca paciencia para aguantar las tonterías de Logan. Ya les habían levantado el castigo. El Sr. Martínez les había dicho que podían volver a sus asientos de antes. Pero Griffin estaba tan enojado con Ben porque se negaba a tomar parte del robo de la tarjeta de béisbol que no volvió a su sitio.

—Yo no me siento con traidores —había sido la respuesta de Griffin cuando Ben intentó volver.

Esas eran las únicas palabras que Ben había oído de su mejor amigo en los últimos tres días. El silencio cortante entre ellos era tan obvio que hasta los otros chicos empezaban a hablar de ello. Pitch no paraba de preguntar qué pasaba y hasta Darren comentó:

—¿Quién ha separado a la Pareja Fantástica?

¿Cómo lo podía explicar Ben? Las mismas cualidades de persistencia y resolución del Hombre del Plan hacían que Griffin fuera terco como una mula cuando estaba enojado.

—Kate Mulholland lleva trabajando con Sanjay Jotwani menos de dos meses y ya le han dado un papel en un anuncio de indigestión —se lamentaba Logan—. Yo soy mejor que Kate Mulholland. Es más, soy tan bueno que puedo convencer a cualquiera que tengo indigestión, gastritis y que padezco de estreñimiento

Por lo menos Griffin no parecía que lo estuviera pasando tan bien sentado al lado de Melissa, al otro lado del salón. La chica tenía la reputación de ser un genio de las computadoras, pero era imposible saberlo con certeza. Era la chica más tímida del pueblo y se pasaba casi todo el tiempo escondida detrás de su cabello largo, que le tapaba la cara por completo.

Ben observó cómo Melissa movía la cabeza hasta que la cortina de pelo se hacía más fina y revelaba su pálida piel y sus grandes ojos. Masculló una respuesta de una sola palabra a la pregunta de Griffin.

Con un alto suspiro, Logan guardó los libros y apoyó la cabeza sobre el escritorio.

—¿De qué sirve? ¿Cómo puedo pensar cuando toda mi carrera se está derrumbando? Mis padres son demasiado de la Costa Este para entender lo que hay que hacer para llegar a Hollywood.

Ben cerró los ojos y se imaginó a sí mismo en un lugar muy lejano, donde no había nada parecido a una tarjeta de béisbol de un millón de dólares y los robos solo sucedían en las películas de acción.

Así que esto es lo que había quedado de su antigua amistad. Griffin estaba con una chica que apenas abría la boca y él estaba con alguien que no se callaba ni un minuto.

Las horas de clases de sexto grado eran espantosas, pero las horas de después de clases eran incluso peores. Ben estaba acostumbrado a pasar todo su tiempo libre con Griffin, así que no solo estaba deprimido; estaba aburrido. Una combinación tóxica.

Había estado montando mucho en bicicleta, casi como si pensara que podía vencer su soledad si pedaleaba lo suficientemente

fuerte. Debió haber pasado por el lugar donde estaba la mansión de los Rockford una docena de veces. Ya habían quitado los escombros. Lo único que quedaba eran los cimientos y un buzón antiguo de correos en la parte de delante, un recuerdo de los fantasmas y asesinos que probablemente nunca vivieron ahí.

El sitio, igual que cualquier otro sitio donde iba, le hizo pensar en Griffin. Para Ben, muy pocos lugares del pueblo no tenían una conexión especial con Griffin: la escuela, el ayuntamiento, el Emporio de Timoteo. Poco tiempo después se encontró a sí mismo en la calle de Griffin, casi como si su bicicleta supiera el camino y lo hubiera llevado hasta ahí ella sola. ¿Cuántas veces había pasado por esa cuadra y se había metido por esa rampa del garaje tan familiar?

Vio una mujer que no reconoció en el jardín de delante, martillando una estaca que tenía un cartel. Ben entrecerró los ojos para leerlo:

SE VENDE

No supo muy bien cómo se separó de la bicicleta. Se vio volando por los aires y aterrizando duramente en la carretera, dejando buena parte de la piel de su codo izquierdo en la acera de cemento.

La señora del cartel se acercó corriendo a ayudarlo.

—¿Estás bien?

Ben apenas notaba el dolor de su brazo sangrante.

—¡Esa casa no está a la venta!

—Sí, desde esta mañana —dijo la señora—. ¿Quieres que te lleve a algún sitio? ¿Está tu madre en casa?

Ben se apartó.

—¡Ahí vive gente!

La puerta se abrió y salió Griffin.

—¿Ben?

Ben señaló a la mujer.

—¡Está intentando vender tu casa sin que ustedes lo sepan!

—No pasa nada, Sra. Brompton —dijo Griffin—. Es mi amigo. —Le hizo un gesto a Ben para que entrara, y al estar los dos en el baño puso el brazo de su amigo bajo el grifo de agua fría—. Tranquilízate, chico.

Es nuestra agente inmobiliaria.

—¿Agente inmobiliaria? —Ben se alejó del lavabo, salpicando el piso con agua teñida de rosa—. ¿Quieres decir que la casa realmente está a la venta? ¿Te vas a mudar?

Griffin asintió.

—¿Todo porque no pude hacer el robo?

—Por supuesto que no. Escucha...

Griffin no le había contado a nadie acerca de los problemas financieros de su familia. Ahora Ben lo escuchaba muy atentamente.

—Por eso me obsesioné tanto con la tarjeta de Babe Ruth —concluyó Griffin al terminar su triste historia—. Ese dinero hubiera salvado nuestra casa. Hubiera ayudado a mi padre a realizar su sueño. Hubiera cambiado todo para mi familia. ¿Cómo iba a permitir que una sabandija asquerosa se saliera con la suya?

—Yo... no sé qué decir —consiguió mascullar Ben. A pesar de lo horribles que habían sido los últimos días, no eran nada en comparación con la situación de Griffin. Con razón estaba tan obsesionado con el robo. Estaba luchando por su casa y su familia.

A Ben le horrorizaba la idea de que su

amigo se mudara, pero sentía una emoción incluso más fuerte. Siempre se había preguntado cómo sería ser como Griffin. Experimentar el sentido claro y puro del propósito era fundamental en el carácter de su amigo. En un instante, todas sus dudas y temores sobre el robo desaparecieron. Lo que quedaba era la seguridad de que eso no solo era lo que había que hacer, sino que era lo único que se podía hacer.

—¿Realmente crees que podríamos realizar ese robo? —preguntó Ben.

El Hombre del Plan sonrió.

EL GRAN ROBO DE LA TARJETA DE BÉISBOL

Plan de ataque:

(i) Conseguir acceso a la TIENDA DE TIMOTEO TIMADOR

(ii) Localizar la CAJA FUERTE detrás del MOSTRADOR

(iii) Hacer un AGUJERO en un lado de la caja con el SOPLETE de papá

(iv) Volver a casa RICOS

Principales obstáculos

(i) PUERTA con candado

(ii) VALLA de dos metros

(iii) CRISTAL DE SEGURIDAD de la PUERTA principal

(iv) 3 TUERCAS

(v) ALARMA de robos (¿Cómo podemos descubrir el código?)

(vi) Factor X (Una persona que electrifica las vitrinas y clava la caja de seguridad al piso seguro que tiene alguna SORPRESA en la MANGA).

Informe de vigilancia:

(i) Horas de la tienda: 10 a.m. a 6 p.m.

(ii) El TIMADOR sale a las 5:30 en un HONDA ELEMENT negro

(iii) El ayudante del gerente TOM DUFFERIN cierra la tienda a las...

—Seis en punto —dijo Griffin emocionado, anotándolo en su cuaderno.

Los dos chicos se habían escondido detrás de un gran arbusto de cedro que había justo enfrente del Emporio de Timoteo, en la Calle Nueve.

—Vamos, Griffin. Muévete un poco —protestó Ben—. Tengo una rama clavada en la axila.

Observaron cómo Dufferin se metía en el auto que estaba estacionado cerca de la acera. Griffin anotó la marca y el modelo mientras el ayudante se alejaba manejando.

Los dos chicos salieron de detrás del arbusto, temblando y estirando los brazos y las piernas.

—¿Qué opinas de la valla? —musitó Griffin.

—Creo que es la típica valla que rodea una tienda que contiene una alarma para robos —confirmó Ben—. Eso está tirado... si tu cuerpo es de ectoplasma y puedes atravesar las paredes.

—Solo porque todavía no sabemos cómo hacerlo no quiere decir que no se pueda hacer —contestó Griffin—. Si lo deseas con todas tus fuerzas, te viene la solución.

Cruzaron la calle y se quedaron delante de la gruesa cadena que cerraba la puerta.

—¿Podemos treparla?—. Para probar, Griffin metió un pie en la valla metálica e intentó levantarse.

Luthor apareció de la nada. El gran doberman salió disparado por los aires y se estrelló al otro lado de la valla. El chico asustado se soltó y aterrizó en los brazos del aterrorizado Ben. Los dos cayeron de espaldas sobre la acera. El monstruo se enganchó a la valla con sus poderosos dientes, rugiendo y gruñendo.

Griffin ayudó a Ben a levantarse y volvieron a cruzar la Calle Nueve para meterse de nuevo en su escondite detrás del arbusto.

Griffin sacó su cuaderno y escribió ¿¡CÓMO CONTROLAR A ESE ANIMAL!? con letras grandes en la página.

—¿Controlar a eso? —chilló Ben—. Yo me conformo con no convertirme en su almuerzo.

—¿Quién sabe de animales más que nadie en el pueblo? —dijo Griffin.

8

Savannah Drysdale le estaba hablando a un conejo.

Le susurraba en la oreja suavemente mientras lo tenía en su regazo, meciéndolo lentamente en su manta morada. Griffin y Ben no podían oír lo que estaba diciendo, pero estaba claro que la criatura estaba totalmente relajada en sus brazos.

La Sra. Drysdale se aclaró la garganta.

—Savannah —dijo un poco más alto—. Savannah, tus amigos están aquí—. Y desapareció por el pasillo.

Savannah los miró con cierto recelo, pero puso el conejo en el suelo. El conejo se alejó dando saltos a una jaula que había en

la esquina, en la que compartía un bebedero con un par de hámsters.

—Supongo que tienes un montón de mascotas —observó Griffin.

—No son mascotas —corrigió Savannah—. En esta casa todos somos compañeros, mi mamá y mi papá, yo, mi hermano, nuestro perro, dos gatos, cuatro conejos, siete hámsters, tres tortugas, un periquito y un camaleón albino.

—Si es albino, ¿cómo cambia de color? —preguntó Ben.

—Siempre se queda blanco. Es un problema. Y se llama Lorenzo.

—Es genial que puedas hablar así con los conejos —dijo Griffin—. ¿También funciona con otros animales?

—No hablamos del tiempo, si es a lo que te refieres. Los animales son muy sensibles al tono de tu voz, las ondas que emites. Saben en quién pueden confiar y en quién no. Puede que no entiendan las palabras, pero saben si se encuentran a salvo contigo. No es una conversación, pero definitivamente te estás comunicando. ¿Por qué?

—Necesitamos que hables con un perro —soltó Ben.

Savannah entrecerró los ojos.

—¿Qué perro?

—¿Recuerdas lo que dijiste que todos los animales son inocentes por dentro? —le recordó Griffin—. Bueno, pues resulta que en la Calle Nueve hay un perro de vigilancia, un doberman, que es casi como un tiranosaurio rex. De verdad, es malo, agresivo, espantoso...

—Basta —interrumpió Savannah—. Un perro de vigilancia solo es malo porque lo han entrenado a ser así. Si agarras un cachorrito recién nacido y desde pequeño solo lo premias cuando es agresivo, haces que de mayor se convierta en un perro muy agresivo.

—Así es Luthor —añadió Ben.

—Pero eso no quiere decir que sea culpa del perro —continuó Savannah severamente—. Y a lo mejor el pobre cachorrito que tiene dentro está ahí atrapado, esperando una oportunidad para salir de ahí.

—¿Qué pasa si ese perro bueno que lleva dentro ha estado tanto tiempo atrapado que

ya no existe? —preguntó Griffin, intentando ganarse a Savannah—. En ese caso solo queda un perro cien por ciento malo. Qué pena.

—No existe eso de un perro cien por ciento malo —dijo Savannah con seguridad—. Deja que yo me encargue de ese doberman.

6:10 p.m. Mientras Tom Dufferin se alejaba en su auto del Emporio de Timoteo, Griffin y Ben salieron del callejón seguidos por Savannah para encontrarse con Luthor.

—Es espectacular —murmuró Savannah en cuanto vio al doberman, y entonces reprimió un suspiro de emoción—. Perdón —dijo intentando aguantarse—. ¿Pero qué tipo de persona descorazonada encierra a un animal tan elegante y noble detrás de una valla?

—El mismo tipo que no quiere que ese animal elegante y noble se coma a los peatones… —sugirió Ben secamente.

—Es una broma —añadió inmediatamente Griffin—. Es el dueño de ese negocio, que lleva la tienda como si fuera una base militar.

Deberías verla por dentro. Todo está bajo llave y hay miles de cables con alarmas—. La indignación de Griffin era genuina. De todos los sitios del pueblo que les podía haber tocado, el Emporio de Timoteo era probablemente el más complicado.

Savannah asintió tristemente.

—Para él, este perro tan precioso es solo otro cartel que dice, “Manténgase alejado”. Pero eso ya lo veremos. Luthor, cariño —dijo con un tono de voz amoroso— ven a decir hola. Soy tu amiga.

El doberman se quedó paralizado en su labor de vigilancia y la miró con una mirada de lo menos amistosa. Un rugido grave pareció empezar a salir desde su barriga.

—Tienes razón —le dijo Savannah a Griffin—. Noto la resistencia. Al pobrecito le han enseñado a ser malo y estar enojado.

—¡No, lo estás haciendo muy bien! —la animó Griffin—. Conmigo intentó comerse la valla.

Savannah dio otro paso hacia delante. Los chicos no la acompañaron. Luthor levantó las orejas. Los gruñidos se hicieron más fuertes.

—No puedo mirar —gimió Ben.

Savannah volteó hacia él.

—Lo estás estropeando todo. Un ser vivo tiene un radar sofisticado y puede notar las emociones que hay a su alrededor. Tu negatividad lo está asustando.

—Ni siquiera Godzilla podría asustar a ese perro —murmuró Ben dando un paso hacia atrás.

Savannah abrió una pequeña bolsa y sacó un muñeco de goma que tenía forma de perro faldero, mucho pelo y un pompón en la cola.

Griffin frunció el ceño al verlo.

—¿Qué se supone que es eso? ¿Su hermano perdido?

—Parte de la crueldad del entrenamiento de un perro de guardia es la forma en que su mundo se convierte en confrontación y conflicto —explicó Savannah—. Tenemos que sacar el lado juguetón de su personalidad que ha estado reprimido durante tanto tiempo. La imaginación, los caprichos, la diversión. —Se dirigió al doberman, sonriendo y animándolo—. Toma, Luthor. Tengo algo para ti—. Con mucho cuidado, tiró el muñeco por encima de la valla.

Nunca llegó al suelo. Con un rugido aterrorizador, Luthor pegó un salto en el aire e interceptó el regalo con sus mandíbulas destrozadoras.

El muñeco quedó hecho pedazos en unos segundos. Y ahí se quedó el doberman, rodeado de un montón de trozos de goma rosas esparcidos por el suelo. La escena parecía como si alguien hubiera metido una caja de gomas de borrar por el motor de un avión.

—Guau —es lo único que consiguió decir Griffin con admiración.

Savannah asintió.

—¡Qué perro más magnífico!

Magnífico no era la palabra que hubieran elegido Griffin y Ben.

Mientras Savannah visitaba la tienda por las noches para intentar sacar el cachorrito que Luthor tenía dentro, Griffin y Ben se dedicaron a estudiar el sistema de alarma del Timador.

Durante tres días seguidos se pasaron las tardes después de la escuela en el ático de la

casa de Ben, mirando la televisión de plasma. Tenían la nariz pegada a la pantalla mientras seguían con gran esfuerzo los movimientos de un dedo enorme.

—Veo manchas azules delante de los ojos —protestó Ben.

—Tienes suerte —dijo Griffin—. Yo apenas puedo ver. Vamos, casi lo tenemos.

Había sido idea de Griffin el grabar en secreto a Tom Dufferin mientras tecleaba el código de la alarma. Después podrían descifrar los números, observando los movimientos de la mano del ayudante. Durante las últimas dos horas, los chicos habían memorizado hasta la última uña y arruga de su mano. Pero seguían sin conseguir averiguar la secuencia de cuatro números.

Griffin rebobinó la película y la volvió a poner.

—Creo que el primer y el último número son un uno. ¿Ves? El dedo está arriba a la izquierda. El tercero es probablemente un cero, está en la parte de debajo de la placa. Ya solo nos queda el segundo número.

—Está en la misma línea que el uno, una

fila más abajo —observó Ben—. ¿Qué hay debajo del uno en el teclado?

—Cuatro o siete. Así que es uno-cuatro-cero-uno o uno-siete-cero-uno.

—Si nos equivocamos, la alarma llevará a todos los policías del pueblo hasta donde estemos —dijo Ben nerviosamente.

Con un suspiro, Griffin paró la cinta.

—¿Qué tal le va a Savannah con Luthor?

El supervisar las sesiones de la tarde en la valla se había convertido en el trabajo de Ben mientras Griffin ideaba el resto del plan.

—Fatal —informó Ben—. A este paso no nos tendremos que preocupar por la alarma. Nos van a destrozar en mil pedazos antes de que lleguemos a la puerta.

—¿No ha mejorado nada?

—Ya no ladra tan fuerte —explicó Ben—. Pero eso es solo porque le está dando mantequilla de maní y creo que se le queda la boca pegada. Si no estuviera la valla, escupiría la comida y se comería a Savannah.

—Ella dice que lo conseguirá —insistió Griffin—. El perro solo tiene que bajar la guardia y fiarse de ella.

—Me siento un poco mal por haberla

metido en esto —admitió Ben—. Seguramente tiene mejores cosas que hacer que pasar la noche arrodillada delante de una valla y hablar dulcemente a una bestia feroz.

—Le daremos su parte del dinero de la tarjeta de Babe Ruth cuando la consigamos —prometió Griffin.

—¿Están seguros que pueden ver algo desde ahí? —se oyó una voz.

Sorprendido, Ben agarró el mando a distancia, pero era demasiado tarde. Su padre ya estaba en la sala.

El Sr. Slovak frunció el ceño.

—¿Qué es esto? ¿Algún tipo de programa de televisión casero sobre la vida real?

—Es un proyecto para la escuela —dijo Griffin, presionando el botón de PLAY del video—. Tienes que averiguar el código. Puede ser uno-cuatro-cero-uno o uno-siete-cero-uno.

—Increíble, la escuela sí que ha cambiado desde mi época —comentó el padre de Ben—. No tengo ni idea. A no ser que... —Una expresión familiar se dibujó en su cara—. ¿Por casualidad tu maestro es aficionado a Viaje a las Estrellas?

Griffin se estiró.

—¿Por qué?

—La gente elige combinaciones que les resultan fáciles de recordar. En el serial Viaje a las Estrellas de los años sesenta, el número de serie del *USS Enterprise* era NCC 1701. —Pareció avergonzado—. Ya lo sé... Soy un vejete.

Griffin pensó en las vitrinas de las figuras, modelos y juguetes del Emporio de Timoteo. Había objetos de docenas de programas de televisión, películas y modas de todos los tipos, pero Viaje a las Estrellas de los años sesenta parecía ser el tema favorito.

—No se preocupe, Sr. Slovak —dijo Griffin sin poder esconder el tono de triunfo en su voz—. Creo que la persona con la que estamos tratando también es un vejete.

Para Griffin, ver cómo finalizaba un plan era como completar un rompecabezas. Empezaba con un marco endeble por fuera, después lentamente las piezas iban llenando el espacio hasta que empezaba a aparecer la imagen final. Sin embargo, con un robo de una tarjeta de béisbol, la imagen final estaba tapada por un agujero negro llamado Luthor.

Era la cuarta vez que Savannah se reunía con el doberman y la chica seguía confundida.

—No lo entiendo —confesó, apoyándose en la valla del Emporio de Timoteo—. Le he dado de comer, lo he calmado, he hablado con él, he razonado con él. Ayer por la noche vi la serie *El hipnotizador de caballos* dos veces, esperando que me inspirara.

—A lo mejor deberías mirar *El hipnotizador de perros* —sugirió Ben tristemente.

—Ya he visto la serie completa —contestó sinceramente—. No me ayudó para nada. Nunca pensé que fuera a desistir con un animal inocente. Pero tengo que admitirlo, este perro está fuera de mi alcance.

—¿Lo vas a abandonar? —Griffin no podía creerlo—. ¡No! ¡No puedes!

—Créeme que no me hace nada feliz —dijo ella señalando a Luthor, que estaba al otro lado de la valla—. ¿Pero qué remedio me queda? Mira sus ojos. No se le va la ira. Es mi cuarta noche aquí, pero para él solo soy una intrusa.

Griffin estaba desesperado.

—¡Savannah, no puedes abandonarlo ahora! —gimió—. Por favor, por favor, ¡inténtalo otra vez!

La mirada de desilusión de Savannah se convirtió en una sospecha profunda.

—Un momento. Los conozco muy bien. No están tan preocupados por un perro. ¿Qué está pasando aquí realmente?

Griffin dudó. Cuanta más gente supiera lo de la conspiración, más probabilidades había de que a alguien se le escapara algo. Pero no le quedaba otro remedio. Sin un hipnotizador de perros para neutralizar a Luthor fracasaría cualquier plan.

No había manera de endulzar las noticias, así que se lo dijo sin rodeos:

—Necesitamos que nos ayudes a calmar al perro para que nos podamos colar en la tienda y robar una tarjeta de béisbol. —Savannah abrió la boca de la impresión, así que Griffin enseguida añadió—: ¡No es tan malo como parece! ¡Te daremos tu parte del dinero!

A Savannah se le puso la cara roja de la furia.

—¡No puedo creer lo que acabas de decir! ¡Quieren que los ayude a cometer un robo! ¡Están locos o piensan que yo estoy loca! ¡Se lo pienso decir a mi madre! ¡Se lo voy a decir al Sr. Timoteo! ¡Se lo voy a decir a la policía!—. A medida que subía la voz, movía los brazos de un lado a otro y metió un par de dedos en la valla de metal.

Como un tiburón que huele la sangre en el

agua, Luthor le mordió la mano y le hubiera arrancado los dos dedos si Ben no la hubiera apartado a tiempo.

Savannah se enfureció el doble y se dirigió al doberman.

—Tú, miserable desperdicio de comida de perro, ¿cómo te atreves a hacerme eso? Yo solo he sido amable contigo y ¿así es como me lo agradeces? ¡No te mereces ser un animal! ¡La rabia es demasiado buena para ti! ¡Te deberían meter en una nave espacial y lanzarte a Alfa Centauro, perro desalmado, enfermizo y psicópata!

Griffin y Ben se quedaron pasmados con el cambio repentino de su compañera. Nunca habían oído una retahíla como esa y desde luego, nunca de la calmada y equilibrada Savannah Drysdale.

Pero la reacción de los chicos fue leve en comparación con el efecto que tuvo su explosión de ira en Luthor. La fiera atemorizadora se separó de la valla como si de repente no tuviera huesos. Se tumbó sobre su barriga y empezó a arrastrarse hacia Savannah, moviendo la cola y aullando, mirándola con ojos dulces y suplicantes.

—Savannah —respiró Ben—. ¡Mira!

—¡Jamás los perdonaré por esto! —respondió—. ¿Acaso piensan que yo quería agarrar a un perro orgulloso y glorioso y romper su espíritu?

—¡Pero eso está muy bien! —insistió Griffin—. ¡Es exactamente lo que necesitábamos!

—Ahora sí que se les ha subido el crimen a la cabeza —dijo, hirviendo de ira—. No solo van a ir a la cárcel sino que además me han obligado a hacer algo en contra de lo que siempre he creído. ¡He destrozado a este magnífico perro!

—Este magnífico perro casi te come dos dedos —le recordó Ben.

—Savannah, escucha —dijo Griffin—, no somos criminales. Esa tarjeta nos pertenece...

—¡No me importa! —interrumpió enojada Savannah—. ¡Me voy! —Metió la mano por la valla y acarició el pelo oscuro de Luthor, por detrás del cuello—. Lo siento, muchacho. Yo no quería hacerlo.

El doberman se puso boca arriba, mostrando la barriga para que se la acariciara.

Griffin estaba desesperado.

—Está bien, te puedes ir. Seguramente nos odias, ¡pero por favor no le digas a nadie lo que estamos planeando!

—No te preocupes. —Savannah estaba claramente enojada y herida—. Por lo que a mí concierne, ustedes dos ya no existen. Si quieren mi opinión, ¡deberían ir a que un médico les examine la cabeza! —Besó a Luthor a través de la valla y prometió—: Vendré a visitarte, mi amor—. Y salió dando pisotones en mitad de la noche.

—Bueno —dijo Griffin—, podría haber sido peor.

—Supongo que estás bromeando —dijo Ben.

—Piénsalo. Se encargó del perro y prometió no acusarnos. ¿Qué más podíamos pedir?

Luthor les lanzó una mirada perniciosa y se alejó trotando entre las sombras de la tienda.

—No sé, Griffin —Ben no estaba convencido—. A mí no me parece que esté tan dominado. ¿Qué pasa si la hipnosis solo funciona con Savannah?

—Tú viste cómo lo hizo —dijo Griffin—. Si se pone bravo, solo tienes que gritar y amenazarlo con enviarlo a Alfa Centauro. Tengo un buen presentimiento en la barriga que me dice que ha llegado el momento de actuar.

Ben frunció el ceño. Los presentimientos de Griffin a la hora de determinar el momento perfecto para poner el plan en acción eran tan de fiar como un billete de tres dólares. Solo que…

—Todavía no estamos listos —protestó—. El plan no está finalizado. Todavía no sabemos cómo pasar la puerta electrificada y entrar en la tienda.

—Claro que lo sabemos. —El Hombre del Plan no pudo reprimir una sonrisa—. ¿Recuerdas el proyecto que hicimos en quinto grado de la Guerra de Troya?

10

El 10 de octubre a las 5:30 p.m. exactamente, Timoteo S. Wendell salió de la tienda y se metió en su Honda Element. No notó los dos ojos furtivos que lo observaban desde el callejón estrecho al final de la calle.

Un momento más tarde, Griffin avanzaba trastabillando por la acera, empujando una carretilla cargada hasta arriba. Encima de la carretilla, un poco inestable, había una caja muy grande en la que podría caber una televisión de 33 pulgadas.

Pero no había una televisión de 33 pulgadas.

Se oyó un gemido de dolor cuando la carretilla rebotó en un bache donde el pavimento estaba roto y una voz dentro de la caja gritó:

—¡Ten cuidado!

Griffin no dijo nada. En la Guerra de Troya, iba completamente contra las reglas hablar con los soldados que estaban escondidos dentro del caballo de madera.

Giró el cuello para mirar por encima del hombro, bajó por la calle y se asomó a la puerta abierta de la valla de enfrente del Emporio de Timoteo. Perfecto. No había clientes. Tom Dufferin estaba solo, arreglando el mostrador.

Griffin frunció el ceño. El ayudante tenía una visión perfecta de la puerta.

"Vamos —pensó—. Muévete".

Pasó un minuto. Después dos. A Griffin le empezaron a salir gotas de sudor por las cejas. ¿Cuánto tiempo podría quedarse ahí sin que nadie se diera cuenta de que había un niño de once años llevando una caja de quinientos kilos?

Por fin, Dufferin agarró un montón de tiras cómicas y se dirigió a la vitrina que había al fondo de la tienda.

"¡Ahora!"

Griffin casi se disloca los hombros al levantar la carretilla para que volviera a

rodar. Le pitaban los oídos, pero empujó la carga a través de la puerta y la dejó caer en la entrada.

Oh, no. La carretilla estaba atascada por el peso de la caja. No podía sacarla.

—¿Qué está pasando? —se oyó un murmullo preocupado desde dentro de la caja—. ¿Por qué se mueve tanto?

—¡Shhh! —siseó Griffin.

Dentro de la tienda, Dufferin había terminado de ordenar las tiras cómicas. En unos segundos volvería a la parte de delante.

Griffin hizo acopio de todas sus fuerzas y dio un tirón enorme. Con un crujido, la rueda de la carretilla se liberó. Uno de los mangos de metal le dio en la boca y se echó hacia atrás, con sabor a sangre en la boca. Tambaleándose, consiguió pasar por la puerta de la valla.

Había estado muy cerca, pero consiguió dejar la carga.

La operación había comenzado.

Tom Dufferin frunció el ceño al ver la gran caja que de pronto había aparecido en la puerta. No había oído el camión de entregas. Debió de haber llegado en los últimos minutos, mientras él estaba en la parte de atrás.

Examinó el papel marrón que cubría el marco de madera. Tenía la dirección de la tienda y un mensaje:

Para entregar a Timoteo S. Wendell
— Personal y confidencial
Para abrir solo por el destinatario

Tom se encogió de hombros y arrastró la pesada caja adentro. Ociosamente, se preguntó qué sería tan especial que el mismo Timoteo tenía que abrirlo. Libros, seguramente, a juzgar por el peso, la colección de libros o revistas de toda una vida de alguien.

Puso la alarma de la tienda, salió y cerró la puerta con llave. Fuera lo que fuera, el jefe se encargaría cuando llegara a la mañana siguiente.

Al otro lado del escaparate, el papel se movió ligeramente con el aire de una respiración nerviosa que salía por los agujeros en los costados de la caja.

Había momentos en los que Ben Slovak deseaba tener un amigo normal y no un Hombre del Plan. Un amigo normal nunca lo hubiera convencido de meterse en la caja de una televisión para colarse en el Emporio de Timoteo. Eso estaba claro.

Cuando jugaron a la Guerra de Troya, la caja era pequeñísima. Ben era el chico más pequeño de sexto grado. Aun así, se tuvo que poner de lado, con las rodillas dobladas hasta el pecho, para poder meterse en un espacio tan reducido.

"El que no arriesga no gana —se recordó a sí mismo—. Esto lo hago por un millón de dólares".

Por alguna razón el dinero no le parecía real. Ayudar a los Bing, evitar que tuvieran que vender su casa... eso sí que era real. Haría cualquier cosa por no perder a Griffin. ¿Pero una tarjeta de béisbol que valía un millón de dólares? Eso era ciencia ficción.

Aun así el peso de todo ese dinero lo abrumaba tan intensamente como el marco de la caja. Robar algo que valía un millón de

dólares era como robar un millón de dólares de verdad, ¿no? Además de todas las cosas que lo preocupaban sobre esta trastada, no podía dejar de pensar en que estaban cometiendo un crimen muy grave.

En medio de la oscuridad intentó echar un vistazo a su reloj: las 6:03. Se suponía que el sol se iba a poner a las 6:57. Después de eso, el plan era esperar treinta minutos más para que se pusiera más oscuro. Entonces, sería imposible leer la esfera.

—Cuenta —le había ordenado Griffin.

"Eso para él es muy fácil de decir..."

Ochenta y siete minutos equivalían a 5.220 segundos. Y... ¡anda! Ya eran las 6:05. Los primeros 120 segundos ya habían pasado. Podía empezar en 121... 122... 123...

Justo antes de llegar a doscientos, bostezó por primera vez.

"Basta —se dijo—. Nadie se queda dormido en medio de un robo..."

Pero a medida que seguía contando tenazmente, notaba que los párpados le pesaban más y más, como siempre.

"¡No! ¡Aquí no! ¡Ahora no!" Apenas había llegado a quinientos. ¡Esto era una locura! ¡El

miedo debería mantenerlo despierto! ¿Acaso sorprendieron a Aquiles durmiendo la siesta dentro del caballo de Troya?

Llegó a contar hasta el 803, pero no estaba despierto para oírlo.

—Toma, Luthor. ¿Dónde estás, perrito?

Griffin intentó mirar el jardín a través de la valla. El doberman no se veía por ningún lado.

Griffin frunció el ceño. No es que le tuviera ningún cariño al perro, pero lo ponía muy nervioso que la vida real no correspondiera con lo que había planeado. ¿Qué pasaría si hubieran metido a Luthor dentro la tienda para pasar la noche? Si Ben abría la caja y se encontraba con una fiera salvaje mirándolo fijamente, le daría un ataque al corazón.

Ansiosamente, Griffin empezó a trepar la valla. Era más difícil de lo que pensaba porque llevaba atado a la espada el tanque de acetileno del soplete de su padre. Pasó

al otro lado e iluminó el escaparate con su linterna. No había señal de Ben ni del perro. Los ojos de Griffin se posaron en la caja, que seguía en medio del suelo. El papel de envolver estaba sin tocar.

Miró su reloj. Las 7:45. ¿Por qué seguía Ben dentro de la caja? Dio unos golpecitos en el escaparate.

—¡Ben! —murmuró por la rendija de la puerta. Tocó a la puerta un poco más fuerte—. ¿Qué haces? ¡Es la hora!

Experimentó un momento de terror irracional. ¿Se les habría olvidado hacer agujeros para que pudiera respirar?

Entonces unas tijeras empezaron a cortar el papel marrón. Griffin observó sin respirar a medida que la cuchilla cortaba laboriosamente la caja cuadrada y volvía a desaparecer. Un momento más tarde se abrió la tapa y salió la cabeza de Ben.

Griffin se fijó en sus ojos parpadeantes y adormecidos.

"¿Se ha quedado dormido?" A pesar de que le parecía alucinante no podía dejar de sentir un poco de admiración. Era difícil imaginar cómo alguien podía relajarse en

un momento como este. Ben era uno en un millón.

Un pitido hizo que Griffin volviera a concentrarse con urgencia. "¡La alarma!" El intruso había hecho saltar el detector de movimiento.

Ben empezó a jugar con el teclado de la alarma. Tenía treinta segundos, no más. Griffin intentó luchar contra su sentimiento de inseguridad mientras su amigo tecleaba 1-7-0-1. Si se habían equivocado con el código, la sirena iba a reventarles los tímpanos a todos los que vivían desde ahí hasta Nueva York.

Se escucharon tres timbres y los pitidos terminaron. La alarma se había apagado.

Ben abrió la puerta y dejó que entrara Griffin.

—Perdona que me haya retrasado —dijo sumisamente—. ¿Algún problema con el perro?

Griffin iluminó los pasillos con su linterna de arriba abajo.

—El perro ha desaparecido. Debe de haber ido a un baile de pulgas.

Ben miró a su alrededor inquietamente.

—No soporto este sitio. Es como si los

cables de esas vitrinas pudieran cobrar vida y estrangularnos.

Griffin dio una palmadita al soplete.

—Olvídate de las vitrinas. Lo único que queremos es la caja fuerte.

Siguieron el haz de luz hasta la escena original del crimen, el mostrador de Timoteo Timador. Griffin no tenía ningún sentimiento de culpabilidad, solo la emoción del plan perfectamente ejecutado. Lo habían conseguido. Estaban dentro. Ya nada los podía detener, ni el perro, ni la valla, ni la puerta electrificada, ni la alarma de robos.

Fue detrás del mostrador y se quedó de piedra.

La caja fuerte no estaba ahí.

—¿Dónde está la caja fuerte? —soltó.

—Detrás de la caja registra...—. Ben apareció a su lado y se quedó con la boca abierta.

—Estaba justo aquí, ¡clavada al suelo!

Griffin se arrodilló y se concentró en la linterna que descansaba en el viejo piso de madera. Había cuatro agujeros de tuerca donde antes estaba la caja fuerte.

—¡Busca por toda la tienda! —ordenó Griffin.

Revisaron todos los pasillos, el trastero e incluso el baño. La caja fuerte no estaba por ninguna parte.

—He tenido en cuenta todo —dijo Griffin—. Excepto una cosa.

—Si la caja está clavada al suelo —dijo Ben—, también la pueden desclavar y llevársela a otro sitio.

El Timador iba un paso por delante de ellos.

—Un plan perfecto, ejecutado perfectamente. Para nada.

—A lo mejor no —dijo Ben esperanzado—. Es decir, ya sé que la tarjeta no está aquí, pero estamos en medio de la tienda de Timoteo Timador. Así que ¿por qué no nos llevamos otras cosas que valgan lo mismo?

Griffin se hinchó como un pez globo.

—¡Yo no soy un ladrón! Vine a buscar lo que me pertenece con todo el derecho del mundo y a recuperarlo. No quiero nada que no me pertenezca.

—Pero ahora ya no vas a poder seguirle la pista a la tarjeta —razonó Ben—. ¿Quién sabe dónde la escondió el Timador? Podría estar en la caja fuerte de un banco.

Griffin solo pudo ofrecer un gesto desesperado. Él nunca abandonaba, nunca se rendía. Pero sin tener ni la más mínima pista de donde podía estar el Bambino, sin tener un plan o poder pensar de forma creativa, ni siquiera un genio podía hacer que las cosas cambiaran.

El Hombre de Plan se había quedado sin ideas.

Miserable.

No había otra palabra para describirlo. Ver a la Srta. Brompton entrar en casa de la familia Bing con un desfile de buscadores de casas era más de lo que Ben podía aguantar. Miraba a todos los compradores con cara de sospecha y hostilidad directa. ¿Podría esta gente amable ser el Enemigo? ¿Los que obligarían a la familia de Griffin a mudarse y a separar a los mejores amigos que Cedarville jamás había visto?

Pero a pesar de lo espantoso que le resultaba a Ben, tenía que ser incluso peor para Griffin. Era su vida la que se estaba desmantelando. Y ya no solo por los agentes de inmobiliaria. Su personalidad había cambiado totalmente. El candor había

desaparecido, junto con el gran sentido de propósito que siempre lo había guiado.

¿Cuántas veces había deseado Ben tener un descanso de los planes inacabables de Griffin? Ahora hubiera dado su brazo derecho por oír a su amigo decir: "Muy bien, este es el plan...". Cualquier cosa era mejor que quedarse ahí pedaleando en el agua, esperando lo inevitable... una oferta por la casa, un trato, empacar y mudarse. El fin de Griffin y Ben.

Por lo menos no estaban aburridos. Los Bing buscaban cualquier motivo para salir de su casa mientras la enseñaban, así que se llevaban a Griffin y a Ben con ellos a todos los centros comerciales, parques, carnavales, ferias o conciertos gratuitos. Por fuera parecía que se estaban divirtiendo, pero por dentro, era como intentar disfrutar de una buena comida mientras tienes un terrible dolor de estómago. Era difícil entretenerse hoy cuando el mañana parecía tan poco atractivo. Y en cualquier caso, solo podían pensar en el ayer.

El fracaso del robo atormentaba a los chicos. La operación de limpieza se repetía en

la cabeza de Ben una y otra vez. Deshacerse de la caja de televisión, volver a cerrar la puerta y poner la alarma. Incluso el borrar las huellas digitales del teclado y los pomos de las puertas había sido un verdadero esfuerzo. ¿Quién iba a llamar a la policía para reportar que nadie había robado absolutamente nada? Como mucho, Tom Dufferin se preguntaría qué habría pasado con el paquete que desapareció misteriosamente. Aunque lo más seguro es que supondría que su jefe se había encargado de él. De cierta manera, la operación había sido el crimen perfecto, con o sin botín. ¿Cómo un éxito tan glorioso podía ser un fracaso tan garrafal?

Comentaron una y otra vez todos los detalles hasta que se les secó la garganta. Lo único que había cambiado era el papel de cada uno. Esta vez era Ben el que preguntaba, "Ahora, ¿qué? ¿Qué hacemos?"

—No puedes robar algo si no sabes dónde está —respondía Griffin tristemente.

Y tenía todo el sentido del mundo, de todas las formas menos de una. Griffin Bing no admitía el fracaso. Simplemente no estaba

en su ADN. ¿Cómo se había convertido de repente en el Hombre sin Plan?

Volvían a casa de otro concierto en la furgoneta de los Bing cuando oyeron unos ladridos; no el ladrido juguetón de una mascota casera, sino un rugido a todo pulmón.

—Para que veas cómo estoy de obsesionado con el Timador —murmuró Griffin tristemente—. Por un minuto hubiera jurado haber oído a Luthor.

Ben se asomó por la ventanilla de atrás. Un perro grande y negro iba detrás de ellos.

—Ni siquiera creo que sea un doberman…

Mientras se alejaban y dejaban a su perseguidor aullando testarudamente en la carretera, a Ben se le ocurrió algo.

—¡Espera un momento! No era Luthor, ¡pero podía haberlo sido!

Griffin lo miró como si estuviera loco.

—También podía haber sido mi abuela, pero no lo era. ¿De qué estás hablando?

—¿No lo entiendes? ¡El verdadero Luthor tenía que estar en algún sitio! El día del robo no estaba en la tienda. ¿Dónde estaba?

Griffin se encogió de hombros sin mucho interés.

—En su casa, supongo. El Timador probablemente le dio unos días libres para que descansara de asustar a la gente en el Emporio de Timoteo. Qué más da. La tarjeta ni siquiera sigue ahí.

—Piensa —ordenó Ben—. ¿Qué pasa si la ausencia de Luthor y la de la tarjeta están conectadas?

—¡Oye, no me hables con acertijos!

—Luthor, el perro guardián —razonó Ben—. Cuando la tarjeta estaba en la tienda, también estaba Luthor. Pero si se llevó el perro a su casa...

A Griffin se le encendió el bombillo.

—¡La tarjeta está en la casa de Timoteo Timador!

Cuando llegaron a la casa de los Bing, Griffin y Ben salieron pitando a buscar el directorio telefónico.

—¡Por favor, que el tipo ese viva en el pueblo! —Griffin agarró el directorio y lo abrió por la W—, más específicamente por Wendell, T. T.

Había una dirección: 531 Park Avenue Extension.

—¡Eso no está lejos de la tienda! —exclamó

Ben sin aliento—. ¡Lo conseguimos, Griffin! ¡Averiguamos dónde está la tarjeta!

—Ahora todo lo que necesitamos…

Ben terminó su frase.

—Es un plan.

—Pero no cualquier plan. Esta vez necesitamos un superplan.

CASA DE TIMOTEO TIMADOR - 531 PARK AVENUE EXTENSION

(i) CASA de dos pisos, con un TEJADO muy empinado

(ii) Valla de metal incluso más alta que la de la tienda (¿por qué?)

(iii) No hay vecinos DETRÁS, solo el TANQUE DE AGUA del pueblo

(iv) Carteles de PROPIEDAD PRIVADA (2)

(v) Carteles de NO PASAR (3)

(vi) Carteles de MANTÉNGASE ALEJADO (4)

(vii) Carteles de CUIDADO CON EL PERRO (6)

—Desde luego al Timador le encantan los carteles —dijo Ben nerviosamente.

—Le encanta asustar a la gente —corrigió Griffin. Frunció el ceño al leer una nota que había debajo de una de las luces situadas a ambos lados de la puerta:

ESTA PROPIEDAD ESTÁ PROTEGIDA POR EL SISTEMA DE SEGURIDAD SENTRY-MAX™ DOTADO CON TRANSMISORES DE RADIO INALÁMBRICOS QUE AVISAN INMEDIATAMENTE A LA POLICÍA

—Genial —murmuró—. Otra alarma.

—Y esta parece sacada de una película de James Bond —añadió Ben. Sus ojos se posaron en el cuenco de comida de perro que había en uno de los escalones y una correa atada a la barandilla de hierro forjado. Con el corazón en un puño, siguió con la vista la correa de cuero, que se perdía entre unos arbustos a un costado de la casa. La cuerda de pronto dejó de estar tensa—. Oh, no.

Ben ya se había puesto en movimiento antes de oír el primer ladrido. Agarró al

sorprendido Griffin y empezó a tirar de él por todo el jardín.

Luthor salió de detrás de la casa como una explosión y con una actitud que ya les resultaba bastante familiar: la de un predador voraz detrás de su presa.

—¡A la carretera! —gritó Griffin.

Los dos llegaron hasta la acera una fracción de segundo antes de que Luthor se quedara sin correa y el collar lo tirara hacia atrás. Una moto se tuvo que desviar para no atropellar a los chicos cuando se metieron en la carretera. El doberman se retorcía y sacaba los dientes, aullando de rabia.

—Supongo que deberíamos decirle a Savannah que el hipnotismo de los perros es solo temporal —dijo Ben resollando.

Una risotada lenta se oía entre los ladridos furiosos de Luthor. Griffin se dio la vuelta y vio a un anciano que se balanceaba en una mecedora que había en el porche del número 530 de esa misma calle. El vecino los miraba por encima de sus lentes de leer con gran interés.

—Nunca los había visto antes por aquí. ¿Acaban de llegar al pueblo?

Griffin dudó. Sería demasiado arriesgado decir que sí. Solo porque no reconocía al hombre no quería decir que no fuera amigo de algún amigo de la familia de Griffin. Cedarville era, al fin y al cabo, una comunidad muy pequeña.

—Estamos buscando nuevos caminos para ir a la escuela desde nuestras casas —contestó—. Tenemos problemas con un abusón.

El rostro del hombre se oscureció.

—Los jóvenes de hoy en día. No se pueden ni imaginar las cosas que veo desde esta silla.

Griffin tragó con fuerza. La mecedora estaba en el lugar perfecto para observar todo el vecindario en ambas direcciones. La puerta principal de Timoteo estaba justo delante, al otro lado de la calle.

—¿Pasa mucho tiempo ahí? —preguntó débilmente.

—Todo el santo día —dijo el hombre animadamente—. Trabajé cuarenta y tres años en las minas de carbón. Por lo que a mí respecta, cada segundo que no estoy al aire libre, es un segundo perdido.

—¿Incluso cuando hace mal tiempo? —aventuró Ben.

—Entonces me abrigo. Llueva o salga el sol, haga frío o calor, Eli Mulroney siempre está aquí.

—Menos a la hora de comer —soltó Griffin.

—Para eso están los microondas —dijo el Sr. Mulroney amigablemente—. Para no tener que perder el tiempo cocinando. No tengo televisión ni computadora. Tengo bastante entretenimiento aquí mismo. Como cuando los vi salir a la carretera con Luthor en los talones. —Se regaló a sí mismo una buena carcajada—. Creo que les iría mejor con los abusones. Por lo menos ellos no muerden.

Griffin y Ben intentaron reír con él.

—¿Qué tipo de persona tiene un perro así? —protestó Griffin—. ¿Es que no sabe que puede atacar al cartero o morder a niños pequeños?

—¡Ja! Si hay alguien peor que ese perro es su dueño. Vive solo, ¿quién querría vivir con un tipo tan raro como ese? Pero Luthor no viene mucho por aquí. Mi vecino tiene a la criatura para que vigile su negocio. Me

pregunto por qué el monstruo ese está aquí de repente. A lo mejor se ha comido a algún cliente de la tienda.

Griffin sintió algo de satisfacción. Eli Mulroney podía ser el agente de la CIA de Park Avenue Extension, pero el anciano no sabía la verdadera razón por la que Timoteo Timador se había llevado a Luthor de la tienda a su casa. Griffin estaba convencido: ahí estaba la caja fuerte con la tarjeta dentro.

Puso una mueca. Ya era bastante problemático el hecho de que el Timador fuera un histérico de la seguridad y tuviera un perro agresivo y un sistema de alarma con todo menos cañones de láser. ¿Cómo iban a llevar a cabo un robo delante de las narices del espía del barrio?

* * *

WWW.ULTRATECH.USA

SEGURIDAD DE CALIBRE MILITAR PARA SU HOGAR

Griffin se alejó de la pantalla de la computadora y silbó nerviosamente entre dientes.

—¿Qué tan mal está eso? —preguntó Ben.

Estaban en la biblioteca de la escuela, estudiando el sistema de seguridad de Timoteo S. Wendell con la esperanza de encontrar una manera de burlarlo.

—¿Sabes a lo que se dedica la compañía UltraTech? —gruñó Griffin—. Sacan las alarmas que la Marina utilizaba en los submarinos encarenados y las ponen en las casas de la gente. Vaya con Timoteo.

Ben miró la pantalla por encima de sus hombros.

—Dice que las sirenas son 170 decibelios más altas que los motores de un avión. Eso quiere decir que si hacemos sonar la alarma, la mitad del pueblo va a venir corriendo. Incluyendo la policía y mi madre.

—No importa —dijo Griffin—. No vamos a hacer sonar la alarma. Me pregunto si el código es el mismo que el de la tienda.

—Eso no sirve de ayuda —señaló Ben—. Lee esta parte, donde habla del mecanismo de alerta electrónico. Cada vez que se desactiva la alarma, el sistema manda automáticamente un mensaje a un teléfono celular. Así que si apagamos la alarma, el Timador va a ser el primero en saberlo.

—Y para colmo, tenemos a Eli Mulroney en medio, que salió de la mina de carbón para complicarnos la vida —dijo Griffin—. ¡Se pasa veinticuatro horas al día mirando la casa en la que queremos entrar!

—Parece que no le gusta Timoteo Timador más que a nosotros —musitó Ben—. A lo mejor le deberíamos contar lo que estamos haciendo.

A Griffin le espantó la idea.

—¿Estás loco? Quiero que me prometas ahora mismo que no se lo vas a contar a nadie, ¡y eso quiere decir a nadie en absoluto!

—Ya se lo hemos contado a Savannah —le recordó Ben—. Y todavía la necesitamos para librarnos de Luthor. No me preguntes cómo lo vamos a conseguir. Nos odia con todas sus fuerzas.

Griffin asintió lentamente.

—La verdad es que necesitamos ayuda, y no solo con el perro. Pero no vamos a saber exactamente a quién reclutar hasta que tengamos un plan. Y a estas alturas, me temo que estamos muy lejos de tener un plan.

—Espero que no estemos demasiado lejos. La subasta es en ocho días.

—Lo conseguiremos —prometió Griffin pensativamente—. Es más complicado que la tienda, pero resolveremos cada problema en su momento. El vecino, el perro, la alarma, la entrada, la caja fuerte…

—¿La qué? —el Sr. Martínez apareció por detrás de un carrito de libros—. ¿La alarma, la entrada, la caja fuerte? ¡Griffin! ¡Ben! ¡Si no los conociera mejor, pensaría que están planeando un robo!

Griffin se quedó de piedra. Con todos los problemas que tenían, ¿cómo podían ser tan descuidados para soltar todo eso delante de su maestro? Miró a Ben e inmediatamente supo que en esos momentos no le iba a ser de gran ayuda. Su mejor amigo se había quedado paralizado.

—Tiene razón, Sr. Martínez —consiguió decir finalmente Griffin—. Estamos planeando un robo. Por lo menos, Ben.

Ben lo miró con ojos atormentados.

—Para la redacción creativa —continuó Griffin—, a Ben se le ocurrió escribir sobre un gran robo. Y para escribir sobre el tema, tienes que planearlo como si fuera real.

El Sr. Martínez puso una sonrisa de felicidad.

—¡Creo que es una idea fantástica! ¿Qué vas a robar, Ben?

—Este... ¿un collar de diamantes? —dijo Ben con voz ronca.

—Eso explica la caja fuerte —dijo el maestro—. ¿Y qué hay de la casa en la que tienes que entrar?

—Todavía no he pensado en eso —dijo Ben débilmente.

—Eso es parte del oficio del escritor —explicó el maestro entusiasmado—. Diseñas una casa que encaje con lo que quieras que pase en la historia. Tengo una idea. Ve al ayuntamiento. El departamento de viviendas tiene los planes arquitectónicos de todas las casas de Cedarville. Eso te ayudará a dar riendas a tu imaginación.

Puede que no ayudara a Ben, pero a Griffin le pareció una idea maravillosa. Si el departamento de viviendas tenía los planos de todas las casas del pueblo, eso quería decir que también tendría el de 531 de Park Avenue Extension. Y al ver los planos, podrían saber por dónde entrar.

La Srta. Annabelle Abernathy, la encargada del departamento de viviendas del Ayuntamiento de Cedarville, adoraba sus ficheros y los trataba como si fueran sus propios hijos. Así que cuando los dos chicos de once años le preguntaron si podían ver los planos originales del 531 de Park Avenue Extension, no se los quería dar.

—¿Para qué los quieren? —preguntó dubitativamente.

—Es para un proyecto de la escuela —contestó Griffin, aliviado de que solo era media mentira, gracias al Sr. Martínez—. Sobre la historia del pueblo y esas cosas. Nuestro trabajo es conseguir los planos de una casa construida en los años veinte o treinta.

—Bueno, está bien —dijo de mala gana—. Pero antes tienen que ir a lavarse las manos.

—Oye, me siento insultado —protestó Ben mientras los dos se lavaban bien las manos en el cuarto de baño de caballeros—. ¿Es que piensa que hemos venido gateando por las alcantarillas?

—Es igual que lo que nos pasó con el parque de monopatines —musitó Griffin—. En este sitio tratan a los niños como si fueran basura. Si conseguimos hacer fotocopias de esos planos sin que los llenemos de babas, para ella será un verdadero milagro. Cálmate. Lo último que queremos es que empiece a hacer miles de preguntas.

Cuando volvieron al mostrador, tenían buenas y malas noticias.

—No he podido encontrar el 531 de Park Avenue Extension —explicó la Srta. Abernathy—, así que les traje los planos del 1414 de la Calle Lakewood. —Levantó un dedo amenazador cuando los dos chicos abrieron la boca para protestar—. Escúchenme. Están estudiando la historia del pueblo y esto es parte de la historia. Entre 1925 y 1927, un constructor llamado

Gunhold construyó seis casas en Cedarville, todas exactamente iguales. Una estaba en el 531 de Park Avenue Extension. Otra en el 1414 de la Calle Lakewood. Así que estos son los planos de la casa que estaban buscando, ya que son exactamente iguales.

Bajo la mirada vigilante de la Srta. Abernathy, Griffin y Ben fotocopiaron los planos y salieron del ayuntamiento. Unos segundos más tarde, los papeles estaban extendidos encima de un banco del parque y los chicos intentaban entenderlos.

—¿Quién puede leer estas cosas? —se preguntó Griffin en voz alta—. ¿Dónde está la puerta de atrás? A lo mejor podríamos entrar por ahí, por donde el Sr. Mulroney no nos pueda ver.

Ben entrecerró los ojos y se fijó en el plano del piso principal.

—Creo que esta es la puerta lateral. No hay nada en la parte de atrás. Es una línea sólida. En cualquier caso, todas las puertas y las ventanas estarán conectadas a la alarma.

Griffin observó atentamente los planos hasta que se quedó bizco.

—Si alguna vez digo que quiero ser

arquitecto, dame un golpe con una pala. No hay manera de ver una casa con estos dibujos. Vamos a tener que ir a ver la casa de verdad.

—Sí, claro —dijo Ben sarcásticamente—. Seguro que el Timador nos invita a entrar y nos ofrece un gran tour.

—Seguramente no —asintió Griffin—. Pero a lo mejor la gente que vive en el 1414 de Lakewood, sí.

—¿Por qué lo iba a hacer?

—Vamos a Burger King a buscar unos paquetes de ketchup —dijo Griffin sonriendo—. Te lo explico por el camino.

Cuando la señora de la casa abrió la puerta del 1414 de la Calle Lakewood, lo que se encontró delante de los ojos era algo que la dejó impactada. Había dos chicos en el porche, el pequeño sangraba de una gran herida que tenía en el brazo.

Como siempre, Griffin fue el que habló.

—¡Mi amigo se cayó de la bicicleta! ¿Por favor, podríamos pasar y usar su teléfono para llamar a su madre?

—¡Por supuesto! —exclamó—. Pero antes

vamos a lavar ese brazo para que no se infecte. Vengan conmigo.

—Gracias —gimoteó Ben. Esperaba que atribuyera la debilidad de su voz al susto más que al miedo de que la anfitriona se diera cuenta de que la sangre que tenía en el brazo en realidad era salsa para poner encima de las papas fritas.

La mujer los hizo subir por unas escaleras hasta un pequeño baño con baldosas blancas.

—Lávate el brazo con jabón —ordenó, rebuscando en un cajón un antiséptico y vendas.

—Yo esperaré aquí —dijo Griffin desde abajo. Ya había empezado a recorrer todas las habitaciones y los pasillos, buscando un punto de entrada desde la calle. Sintió un escalofrío de emoción mientras miraba alrededor. Sí, sabía que esta no era la casa de Timoteo Timador, pero se suponía que era una réplica exacta. Esto era como estar detrás de la línea del enemigo. El robo estaba a punto de comenzar.

Desdobló los planos del primer piso, identificando las paredes y las puertas.

"Puerta principal… puerta lateral… algunas de estas ventanas son lo suficientemente grandes como para meterse…"

¿Pero qué iban a hacer con la alarma?

"Espera un momento… ¡el sótano!"

Encontró la entrada y bajó silenciosamente por las escaleras. El sótano no tenía ventanas y estaba totalmente bajo tierra, sin acceso al exterior. Otro callejón sin salida.

En el baño del segundo piso, Ben estaba terminando de lavarse el ketchup del brazo. Pensó lo bien que le había venido la caída de la bicicleta al ver el cartel de SE VENDE frente a la casa de los Bing. La herida era real, aunque la sangre no lo fuera.

—¿Ves? —dijo la mujer poniendo crema sobre la herida—. Ya está empezando a curarse. Tú cicatrizas enseguida.

—Gracias —murmuró—. Siento mucho molestarla—. Su mente en realidad estaba en Griffin. ¿Habría conseguido averiguar algo? ¿Habría descubierto cómo entrar en la casa, bueno, en la casa del Timador, sin hacer sonar la alarma?

De pronto, el sol salió de detrás de una nube y un rayo de luz que venía del cielo

iluminó la gasa blanca con la que la mujer estaba vendado el codo de Ben.

¿Luz del sol? ¡Pero si este baño no tiene ventanas!

Confundido, miró hacia arriba y ahí estaba. El cuarto era más alto que ancho, con un techo altísimo que seguía la inclinación del tejado. En el centro había un tragaluz con un cristal grueso.

—Qué lindo —dijo señalando hacia arriba—. Eso es una ventana, ¿verdad? ¿Se abre y todo?

—Se abría —contestó la mujer—. Teníamos un palo especial para abrirla. Pero se rompió hace años y ya no los hacen. —Terminó de vendarle el brazo—. Ahora vamos abajo a llamar a tu madre.

—¿Sabe qué? Que prefiero no asustarla. Mejor me voy a casa. Me encuentro mucho mejor.

Y era cierto. Pero no tenía nada que ver con su brazo.

Había encontrado la manera de entrar.

Antonia "Pitch" Benson abrió su casillero y se quitó la mochila. Estaba a punto de ponerla en el estante cuando las palabras le saltaron a la vista: ASUNTO SECRETO.

En la base del estrecho casillero, encima de sus zapatos deportivos, había una nota escrita en un papel verde brillante, doblada dos veces.

La abrió y empezó a leer:

Has sido elegida por tus habilidades especiales para participar en algo que se debe hacer urgentemente. Para más información, ven a la Sala de las Pelotas a las 3:30. No faltes. Merecerá la pena -- $$$

—¿Qué es eso?

Se dio la vuelta para encontrarse a Darren Vader que estiraba el cuello para leer por encima de su hombro.

—¡Métete en tus propios asuntos! —le soltó enojada, apartando la nota de su vista. La volvió a doblar y se la metió en el bolsillo.

¿En qué consistiría? Evidentemente alguien había metido la nota por la rejilla de ventilación de su casillero. Pero ¿quién? El único talento que tenía era la escalada, y no había ninguna montaña o risco cerca de Cedarville.

Seguramente solo era una broma. Y si Darren estaba detrás de esto, le diría lo mucho que le molestaba con los puños.

Cerró el casillero de un portazo. Fuera lo que fuese, lo sabría a las 3:30.

—Papá, ¡el hongo me pica muchísimo! ¿No podemos hacer nada?

Logan Kellerman nunca se había preparado tanto para una audición. Había ensayado su papel tantas veces que se lo sabía al derecho y al revés. Entendía todas las sutilidades y motivaciones de su personaje. Era alguien que no quería sufrir más picores y que sabía que su padre lo quería lo suficiente como para comprarle un maravilloso producto nuevo que lo haría sentirse mejor. Se había tomado el papel tan a pecho, que a veces hasta podía sentir una leve irritación entre los dedos de los pies. Era imposible que el director del anuncio pasara por alto su actuación. Absolutamente imposible.

—Papá, los picores del pie de atleta…

Estaba en mitad de su ensayo cuando vio un papel verde en la parte inferior de su casillero.

Has sido elegido por tus habilidades especiales…

Habilidades especiales. El corazón de Logan empezó a latir más rápidamente. ¡Solo podía tratarse de alguna actuación!

La Sala de las Pelotas a las 3:30. ¡Se moría de ganas de ir!

Melissa Dukakis no sabía muy bien qué pensar de la invitación que había recibido en el papel doblado verde. Nunca antes la habían invitado a nada. Habilidades especiales. ¿Qué querría decir eso? Ella sacaba unas notas bastante regulares, no conocía a mucha gente y era muy reservada.

A lo mejor era una equivocación, el casillero equivocado o la Melissa equivocada. Había varias en la escuela. Eso debía ser. Una equivocación.

Iría a las 3:30 para explicar que había habido una confusión.

Con la nota verde con el MENSAJE SECRETO arrugada en el bolsillo, Savannah Drysdale salió disparada a través del gimnasio. Ya estaba a mitad de camino de su casa cuando cambió de opinión respecto a la reunión. ¿Para qué perder sueño preguntándose cuál era el secreto? Como si no lo supiera. Griffin Bing y su insuperable cómplice.

El Salón de las Pelotas era en realidad un trastero que había en el gimnasio. Estaba lleno de pelotas malogradas de tenis, pelotas de ping pong rotas, pelotas de béisbol rajadas,

pelotas de fútbol aplastadas, pelotas de fútbol americano y de baloncesto deshinchadas, pelotas medicinales deformadas, pelotas elásticas inelásticas y pelotas de deportes que nadie jugaba: pelotas de bocce, water polo, balonmano y otras que nadie podía identificar.

El entrenador Nimitz era incapaz de deshacerse de ninguna pelota, y realmente pensaba que un día encontraría la bomba de aire adecuada o los parches para arreglarlas. Entonces, toda esta colección se podría usar para promover el ejercicio entre los chicos.

Fue en este cementerio de caucho y goma que Savannah descubrió que la reunión ya había comenzado. Junto con Griffin y Ben, le sorprendió ver a Pitch, Logan y Melissa tumbados encima de los restos de educación física.

—¡Ustedes dos! —soltó Savannah—. ¡Lo sabía! Esto tiene que ver con su estúpida tarjeta de béisbol, ¿verdad?

—Antes tenías toda la razón para estar enojada —le dijo Griffin seriamente—. Teníamos que haber sido honestos contigo desde el principio. No volveremos a cometer la misma equivocación.

Pitch estaba confundida.

—¿Qué tarjeta de béisbol?

—Antes de continuar —dijo Griffin solemnemente—. Necesito que me den su palabra de que lo que se mencione en este cuarto no va a salir de aquí. Estén de acuerdo o no, no le pueden contar esto a nadie. Nunca. Esto no es un juego de niños. Hay cosas muy importantes en juego, mucho dinero, pero también muchos problemas si algo sale mal. Si piensan que no lo van a poder soportar, ahí está la puerta.

Nadie se movió, ni siquiera Savannah, que sabía lo que le esperaba.

—Está bien, Griffin —dijo Pitch—, ya tienes nuestra atención. ¿De qué trata todo esto?

—De una tarjeta de Babe Ruth de 1920, una de esas tarjetas por las que los coleccionistas pagan un montón de dólares. —Griffin les contó toda la historia, desde el descubrimiento en la vieja mansión de los Rockford, al engaño de Timoteo Timador y el fracasado intento de robo en la tienda.

—Así que en parte es por dinero, pero no es solo por eso —concluyó—. El Timador vio

que éramos un par de niños y se aprovechó de nosotros porque pensó que no podíamos hacer nada. Le vamos a demostrar que estaba muy equivocado.

—¿De cuánto dinero estamos hablando? —dijo Logan.

—A partes iguales, dividido entre seis —contestó Griffin—. No sé la cantidad exacta porque se va a vender en una subasta. Pero la puja más baja va a empezar en doscientos mil dólares. Y el Timador dijo en las noticias de la tele que pensaba que podía superar el millón.

—¡Un millón de dólares! —Melissa hizo los cálculos rápidamente en la cabeza—. ¡Eso es ciento sesenta y seis mil seiscientos sesenta y seis para cada uno! Me podría comprar la computadora más moderna del mercado.

—Y construir una habitación nueva en tu casa para meterla —añadió Ben.

—Yo podría pagar mis clases de actor con Sanjay Jotwani —dijo Lojan soñando en alto.

—Yo podría llevar a toda mi familia a escalar al Yosemite —exclamó Pitch emocionada.

Savannah no se dejaba impresionar tan fácilmente.

—Sí, sí, es mucho dinero. Me encantaría crecer sabiendo que tengo suficiente dinero en el banco para pagar mis estudios y ser veterinaria. ¿Quién no? Pero esa cantidad de dinero no te cae en las manos tan fácilmente. Están hablando de un robo, no de un domingo en el campo.

—Tienes razón —dijo Griffin—. Pero si trabajamos juntos, podremos conseguirlo. Entraremos en la casa del Timador por un tragaluz que hay en el tejado. Pitch, ahí es donde entras tú. Tu trabajo es ayudarnos a llegar hasta ahí.

—Es como trepar un edificio en lugar de una montaña —musitó ella.

—La casa tiene un sistema de alarma, pero los sensores de movimiento van a estar apagados. Esto lo sabemos porque el Timador tiene un perro de guardia en la casa. El perro no es cualquier cosa, pero Savannah puede controlarlo.

—Por dentro, es realmente un trozo de pan —dijo Savannah con cariño.

Melissa movió la cabeza, intentando

quitarse la cortina de pelo de la cara.

—Entonces, ¿mi labor es desactivar la alarma?

—¿Puedes hacer eso? —dijo Pitch.

—Aunque pueda —dijo Ben—, eso es lo último que queremos hacer. Si alguien apaga la alarma, el Timador recibe un mensaje electrónico.

—Entonces —dijo Melissa frunciendo el ceño—, ¿para qué me necesitan?

—Tú sabes más de computadoras que nadie en este pueblo —contestó Griffin—. ¿Podrías entrar en el correo electrónico de Timoteo Timador?

—Probablemente. Pero ¿para qué?

—Tenemos que averiguar cuándo va a estar fuera de la casa durante unas horas. No podemos dejar que nos sorprenda mientras estamos recuperando nuestra tarjeta.

—¿Y yo dónde encajo en todo esto? —dijo Logan—. Yo soy actor, no ladrón.

—Timoteo vive justo enfrente del vecino más chismoso del mundo —contestó Griffin—. Se llama Eli Mulroney y vigila toda la cuadra, veinticuatro horas al día, siete días a la semana. Necesitamos que te concentres

en tus cualidades de actor y te hagas amigo del tipo ese, así lo puedes distraer durante la operación. Y al mismo tiempo servirás de vigía.

Griffin se levantó de la pelota aplastada que había estado usando como silla.

—Ya sé que todo parece una locura. Y sé que suena peligroso. Pero si cada uno se concentra en su trabajo, verán que no hay nada imposible. Solo tenemos que poner todas las piezas en el orden adecuado. ¡Podemos hacerlo! Ahora, ¿quién se apunta?

El silencio fue ensordecedor.

—Cuenta conmigo —dijo Pitch por fin—. Alguien tiene que enseñarle una lección al tipo ese.

—Conmigo también —dijo Logan—. Este es el reto más grande para un actor.

—Eso es muy fácil para ti decirlo —musitó Savannah—. Tú estarás sano y salvo al otro lado de la calle. Si la policía viene, les puedes decir que no nos has visto en la vida.

—Es verdad que nos tenemos que colar en una casa —les recordó Griffin—. Pero la tarjeta es nuestra. Si aquí hay alguien que ha robado, es Timoteo Timador.

—Sí, sumamente sencillo —dijo Savannah sarcásticamente—. Eso es lo primero que le

va a venir a la cabeza a la policía cuando te pillen abriendo un agujero en la caja fuerte con un soplete.

—Si alguien no envía los pagos de su auto —argumentó Griffin— le mandan a un tipo para que se lo quite. El que no paga en realidad roba igual que cualquier ladrón de autos, pero es perfectamente legal. Eso es exactamente lo que estamos haciendo: volver a tomar posesión de la tarjeta de béisbol.

—Yo pensé que esa nota estaba en mi casillero por error —dijo Melissa—. Pero supongo que en realidad sí querían que participara.

—Por supuesto que sí —le aseguró Ben—. ¿Estás dentro o fuera?

—Oh, estoy dentro —confirmó—. Es la primera vez que alguien me pide que haga algo.

Savannah era la estampa de la ira.

—Hubiera apostado cinco de esas tarjetas de Babe Ruth a que ustedes se iban a plantar y les iban a decir a estos dos que se fueran a hacer gárgaras. ¿Cuál es su problema?

—Tú eres la única que falta, Savannah —dijo Griffin.

—Sí, claro, como que tengo otra opción

—gruñó—. Se las han apañado para que no me quede otro remedio que ir, ¡solo para proteger al pobre Luthor!

—¿El pobre Luthor?—. Ben no podía creer lo que oía.

—Ya me puedo imaginar exactamente lo que va a pasar. Van a estar dando vueltas por la casa hasta que no le quede otro remedio que morder a uno de ustedes. Entonces los del ASPAC querrán matarlo porque es un perro vicioso. ¡Pero no lo es! Por eso voy a tener que estar ahí en todo momento, para asegurarme de que no le pase nada a Luthor.

—Entonces vendrás —anunció Griffin—. La subasta es el diecisiete de octubre. Eso nos da cinco días para llevar a cabo nuestro plan. No tengo que recordarles que es imprescindible que esto sea un secreto total. No pueden hablar con nadie de esto, aunque piensen que sea muy bueno guardando secretos. Ni a sus mejores amigos, ni a sus abuelas preferidas, ni a sus entrenadores personales, ni siquiera a la persona con la que se envían mensajes que vive en Hong Kong. ¡Nadie puede saber nada de esto!

Habiendo dicho esto, una montaña de

pelotas de voleibol aplastadas estornudó.

—Salud —dijo Ben automáticamente. Pero de pronto—. Oye...

Las pelotas empezaron a moverse en todas las direcciones. Una cabeza salió a la superficie de la montaña y Darren Vader se puso de pie.

—¿Qué has oído? —exigió Griffin.

—Todo —contestó Darren felizmente—. Desde luego, vaya plan tienes montado, Bing. Cuando vea a los de la funeraria enterrando a gente en bolsas de plástico, sabré que alguno de ustedes se ha caído del tejado.

—Si dices una sola palabra de esto...

—No te preocupes, enano —interrumpió Darren—. No pienso hablar del asunto. Quiero tomar parte de la acción.

—¿De qué estás hablando? —soltó Griffin—. ¿Parte de qué acción?

—Quiero participar en el robo.

—De eso nada —decidió Griffin—. Ya elegimos al grupo que encajaba en el plan. Si de pronto tenemos un hueco para un bocazas insoportable, serás el primero al que llamaremos.

—Me necesitan —argumentó Darren—.

Tienen a una escaladora, un actor, una experta en computadoras y una persona para el perro. Pero les falta algo... músculo.

—Una tarjeta de béisbol no pesa mucho —dijo Ben tranquilamente.

—Pero la gente sí, sobre todo si tienen que bajarlos con cuerdas o volver a subirlos, por ejemplo, por un tragaluz.

—No me importa lo fuerte que seas —dijo Griffin—. Tú no mandas. Somos seis y tú solo eres uno.

—Muy bien. Entonces saldré de aquí e iré a hablar directamente con el Sr. Wendell.

Griffin se le quedó mirando, de sus ojos salían rayos láser.

—¡Ni te atrevas!

—Para mí no sería atreverme a mucho —dijo Darren—. Son ustedes los que se meterían en un montón de problemas.

Griffin vio la cara de mofa de Darren y sabía que la amenaza era muy real. Darren había sido su enemigo desde kindergarten. No dudaría en entregarlos.

Solo les quedaban dos opciones: dejar que Darren participara o abandonar el plan.

Miró a Ben a la cara y después al resto del

grupo. Uno a uno, asintió.

Pitch fue la última.

—Supongo que no nos vendrá mal tener algo de músculo a mano.

—No se arrepentirán —dijo Darren.

Griffin ya estaba arrepentido.

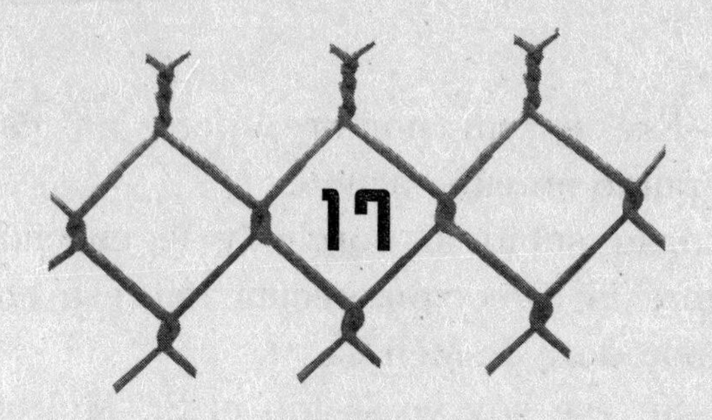

Al día siguiente, Logan Kellerman se dirigió hacia el 530 de Park Avenue Extension, con un paquete debajo del brazo.

Eli Mulroney estaba sentado en el porche, tal y como Griffin y Ben le dijeron.

"Siempre está ahí —había dicho Griffin—. Hemos pasado por delante una docena de veces. Podría ser uno de esos flamencos rosados que hay en los jardines".

—¿En qué puedo ayudarte, muchacho?

Logan miró radiante al anciano.

—Vivo en el 530 de University y nos han dejado este paquete por equivocación. ¿Es usted E. Mulroney? —dijo mientras consultaba la dirección.

—Ese es mi nombre, pero no estoy esperando ningún paquete.

Logan subió al porche y le enseñó al hombre la dirección, recién impresa en la computadora de Melissa.

—Sí, ese soy yo —dijo el Sr. Mulroney algo confundido—. ¿Quién lo envía?

—No dice. A lo mejor hay una tarjeta dentro.

El anciano sacó una navaja con aspecto letal y cortó con precisión la cinta adhesiva de los lados del paquete. Cientos de gusanos de corcho blanco salieron disparados por el porche.

—¡Santo cielo! —rugió el Sr. Mulroney al ver el desastre—. Entonces sacó del paquete un juego de ajedrez, damas y backgammon magnético, una caja de dominó, una baraja y un juego de Monopolio.

—¿No hay una nota? —preguntó Logan.

—¡No pienso meter la mano ahí! Esos gusanos de corcho se te pegan a la mano y no hay manera de quitártelos.

—Bueno, debe de haberlo enviado alguien que sabe que le gustan los juegos —insistió Logan.

—¡A mí no me gustan los juegos! —contestó Mulroney—. Aunque —le brillaron los ojos— antes era muy bueno al backgammon. Claro que eso fue hace mucho tiempo.

Logan notó la oportunidad y la aprovechó.

—Yo siempre he querido aprender a jugar al backgammon. ¿Me podría enseñar? Claro, si tiene tiempo...

—¿Es que un chico como tú no tiene nada mejor que hacer que pasar la tarde con un viejo?

"¡Esta es la mía!", pensó Logan. Era la hora de hacer brillar su talento. Puso una expresión en la cara de entre timidez y tristeza.

—La verdad es que no. Nos acabamos de mudar aquí. Todavía no tengo muchos amigos.

—Acerca una silla, muchacho. ¿Cómo te llamas?

A Logan le latía el corazón con fuerza. Su primer trabajo de actor. Y con este podía conseguir el cheque más grande de este lado de Hollywood.

Esa noche, el equipo del robo se reunió en el garaje de los Bing para desvelar el nuevo plan de Griffin. El SuperRecolector estaba apoyado en la pared, como si fuera un guarda en el abarrotado banco de trabajo, que se había convertido en el nuevo centro de la operación.

EL GRAN ROBO DE LA TARJETA DE BÉISBOL
SEGUNDO INTENTO

Los miembros del equipo:

(i) GRIFFIN BING: Líder del grupo y operario del soplete

(ii) BEN SLOVAK: Teniente y especialista en espacios estrechos

(iii) SAVANNAH DRYSDALE: Hipnotizadora de perros

(iv) LOGAN KELLERMAN: Neutralizador de vecino cotilla y vigía número 1

(v) ANTONIA "PITCH" BENSON: Mujer del segundo piso

(vi) MELISSA DUKAKIS: Electrónica y vigía número 2

(vii) DARREN VADER: Músculo y misceláneos

Punto de encuentro: Depósito de agua

Punto de entrada: Tragaluz

—Muy bien —Griffin se dirigió a Pitch—. ¿Cómo entramos?

—Necesitamos una escalera extensible de veinticuatro pies —contestó la chica—. Con eso llegaremos al borde del tejado. —Sacó una foto de la parte de atrás de la casa del Timador—. ¿Ven ese canalón de ventilación? Pondremos una cuerda alrededor. Después treparemos hasta el tragaluz, que está aquí —señaló— justo detrás de este pico en el lado este.

—Suena lo suficientemente fácil —dijo Griffin.

—Si eres una cabra de montaña —añadió Ben nerviosamente.

—No es tan peligroso como parece —lo tranquilizó Pitch—. Llevaremos un arnés de escalar para subir al tejado. Aunque te caigas, no llegarás al suelo. Les daré unas lecciones rápidas de montañismo antes de hacerlo, solo para que se acostumbren al equipo. No hay ningún peligro.

—Muy bien —aprobó Griffin—. A ver, Logan, tú eres el siguiente. ¿Cómo te va con el Sr. Mulroney?

Logan fue tan modesto como de costumbre.

—Si dieran el Óscar al mejor robo, yo me llevaría el premio. He creado un papel tan real, tan tridimensional, tan entrañable...

—¡Contesta de una vez! —exigió Darren impacientemente.

—Me está enseñando a jugar backgammon. Pero hay mucho más. Me estoy convirtiendo realmente en este personaje.

—Eso espero —dijo Griffin—. ¡Porque eres tú! ¡Te estás representando a ti mismo! Y el truco consiste en asegurarse de que el viejo no sospeche lo que estamos haciendo y llame a la policía. ¿Cuál es tu informe?

—Al Sr. Mulroney no hay nada que lo saque de su silla, eso está claro —les contó Logan—. Va al baño y se hace sándwiches para comerlos afuera. Dice que solo necesita tres o cuatro horas de sueño por la noche. Está un poco tarado, y ¿saben qué? Que me cae muy bien. A lo mejor yo también estoy un poco tarado.

—¿Tú crees? —dijo Darren con la voz llena de sarcasmo.

—Ah, sí —añadió Logan—. Y además está muy orgulloso de que a su edad sigue teniendo una visión veinte-veinte.

—¿Seguro que no hay nada más que deberíamos saber? —dijo Ben—. ¿A lo mejor su mecedora tiene un radar?

—No, eso es todo. Excepto por el tragaluz. Se puede ver desde el porche del Sr. Mulroney incluso de noche. La luz de la farola de la calle se refleja en el cristal.

—¿Y cuándo pensabas contarnos esto? —dijo Ben con tono de desesperación—. ¿Cuándo el tipo estuviera llamando a la policía el día del robo?

—Tenemos que encontrar la forma de apagar la farola durante un rato —dijo Griffin—. Ahora, Melissa, ¿algún progreso para entrar en el correo electrónico del Timador?

—Eso ya está hecho —dijo ella—. Tiene dos direcciones de correo electrónico, una personal y la otra de negocios. Las dos están conectadas con la página de Internet que tiene para su tienda. Cada mensaje que recibe pasa antes por mi computadora.

—Lo que necesitamos —explicó Griffin— es tiempo para llevar a cabo el plan sin peligro. Ya sabes, una ventana de tres o cuatro horas en las que sepamos que va a estar fuera de su casa con toda seguridad.

—No vi nada así.

—¿No habla de que vaya a pasar el fin de semana fuera? —insistió Ben—. ¿Una boda o una reunión familiar? ¿Incluso una cena elegante en Nueva York?

—No —dijo Melissa—. Casi todos los correos de su cuenta personal son basura. Había algo del New York Rangers Booster Club y una nota del supermercado para decirle que ya habían enviado su pavo de veinte libras.

Griffin estaba asqueado.

—¡Sí, claro! Como que un ladrón sucio y ruin iba a conocer a tanta gente dispuesta a sentarse a comer un pavo de veinte libras con él.

—En fin —razonó Logan—, no falta mucho para el día de Acción de Gracias.

—Si no tienes nada mejor que hacer ese día que quedar con Timoteo Timador —dijo Ben tristemente—, no tienes por qué dar las gracias.

—Esto es un fastidio —gruñó Griffin—. Tenemos el plan perfecto pero no podemos llevarlo a cabo porque no somos capaces de sacar al tipo ese de su casa.

—¿Podríamos intentarlo durante el día cuando está en la tienda? —sugirió Savannah.

—Ya pensé en eso —dijo Griffin—. Es demasiado arriesgado. La escalera se vería tanto como un elefante en un campo de fresas.

—¡Bing, desde luego eres de lo más torpe! —se rió Darren—. Va a pasar la subasta y tú seguirás ahí esperando a que vaya al cine. Usa el cerebro. Si quieres que salga, ¡haz que salga!

—¡No podemos raptarlo! —dijo Pitch enojada.

—Vende objetos para coleccionistas de deportes —siguió Darren—. Es un aficionado de los Rangers. Cómprale una entrada para un partido.

—¡Sí, claro! —respondió Griffin—. Aquí tiene su regalo para agradecerle que nos haya timado. ¡Eso seguro que funciona!

—A lo mejor le podemos mandar una carta diciendo que ha ganado un premio —sugirió Savannah.

—Lo descubriría en un segundo —dijo Griffin—. No puedes ganar un concurso si no te has apuntado.

—Mira —dijo Darren con desespero—, esto es lo que hay que hacer: se mete la entrada en una tarjeta de cumpleaños con el nombre de otra persona en el sobre y se pone en el buzón del Timador como si alguien la hubiera dejado en la casa equivocada. Si ese tipo es tan asqueroso como dices, seguro que no resistirá la idea de usar la entrada de otra persona. Por supuesto que irá al partido. Y se quedará hasta el último pase del último tiempo.

—¿Es así como funciona tu mente enfermiza? —preguntó Pitch asqueada.

—¡Espera! —dijo Griffin entusiasmado—. ¡Creo que la idea de Darren podría funcionar!

Griffin Bing y Darren Vader nunca habían sido amigos. Griffin había aceptado a Darren en el equipo porque lo había amenazado con delatarlo. No le caía bien Darren, o lo que es peor, no confiaba en él. Y en una operación como esta, la confianza era todo.

Pero empezaba a darse cuenta de que Darren aportaba un talento al robo que ni siquiera él mismo había previsto.

Darren era tan malo que era capaz de pensar como el propio Timoteo Timador, que no había tenido ningún escrúpulo en quedarse con la tarjeta de béisbol de un niño de once años.

DÍA DEL ROBO: Jueves, 16 de octubre
PARTIDO DE HOCKEY: Madison Square Garden - Rangers contra Maple Leafs - EMPIEZA a las 8 p.m.
Timoteo SALE hacia la ciudad de NY: 6:30-7:00
EL SOL SE PONE: 6:41
HORA CERO: 7:30

Griffin se echó hacia atrás y examinó la mesa. Todo tenía que funcionar como un reloj. Era el plan perfecto y el equipo perfecto. Deberían ser capaces de recuperar la tarjeta y estar a salvo en sus casas antes de que empezara el tercer periodo del partido de los Rangers, incluso contando un tiempo extra.

No le gustaba del todo la idea de que el robo fuera justo el día antes de la Subasta Anual de Objetos Deportivos Memorables de Worthington. Pero no les quedaba otro remedio. Los Rangers volvían de un viaje muy largo y el jueves era el único día que iban a jugar en Nueva York antes del diecisiete. Era el dieciséis o nunca. Y nunca no era una opción.

Miró la entrada para el partido de hockey que tenía encima de su escritorio. ¡Se habían gastado ocho dólares en un tipejo como el Timador! Su único consuelo era que él y Ben habían pagado la entrada con el dinero que el ladrón les había dado por la tarjeta de Babe Ruth. Había cierta poesía en el asunto... Timoteo Timador financiando su propia caída con sus tratos ruines.

La venganza iba a ser dulce.

Aun así, Griffin no podía librarse de un presentimiento de intranquilidad. Todos estaban arriesgando mucho al participar en esto. Si algo salía mal el jueves, si los pillaban, Griffin sabía que tendría que encontrar la manera de cargar con todas las culpas. Esta era su lucha, el destino de su familia. Ben y los otros no tenían por qué pagar por esto.

"Está bien, lo admito. Estoy nervioso. Un poco de miedo no viene mal en una operación como esta. Te mantiene despierto".

Le dio a una tecla de su computadora para quitar el salvapantallas. Efectivamente, había otro mensaje de Melissa. ASUNTO: TAREA, su código para hablar del robo. Melissa le había estado mandando copias de los correos electrónicos que interceptaba de Timoteo.

Este era un video corto que anunciaba la Subasta Anual de Objetos Deportivos Memorables de Worthington. Griffin hizo clic en el enlace y vio el video promocional de sesenta segundos, mordiéndose el labio de rabia. La tarjeta de Babe Ruth era el principal motivo de conversación del evento. El presentador la calificaba como "el descubrimiento más increíble de los últimos cincuenta años". Salía una parte de la entrevista de Timoteo S. Wendell. Mostraba al malvado sonriente mientras un grupo de expertos sentados en una mesa parecían asombrarse ante la tarjeta del Bambino. Uno de ellos incluso la comparó con la famosa tarjeta de Honus Wagner. Todos

estaban de acuerdo en que se iba a vender por una fortuna.

—¡Magnífica! —anunció un hombre que observaba el tesoro bajo una lupa—. ¿Pero por qué está tan fría?

El orgulloso Timador tenía una respuesta para todo, como siempre:

—Eso es por lo fríos que nos vamos a quedar al ver por cuánto se vende.

Cuando terminó el video, Griffin temblaba de furia. Si tenía alguna duda sobre el jueves por la noche, había desaparecido al oír la voz pastosa del Timador. Este artista de pacotilla no iba a salir beneficiado de su crimen.

A veces había que cometer un robo para detener un ladrón.

El sol se estaba poniendo cuando Timoteo S. Wendell abrió la puerta, salió al recibidor de entrada y puso el código para apagar la alarma de su casa.

Estaba de buen humor. Era fácil estar de buen humor cuando eras rico, o por lo menos lo ibas a ser a partir del viernes.

Se agachó y recogió el correo que habían metido por la ranura de la puerta.

"Factura... factura... revista... basura... ¿Qué es esto?"

El sobre cuadrado y azul no tenía dirección ni estampillas, lo que quería decir que alguien lo había entregado personalmente. Y en la casa equivocada porque en la parte de delante ponía: "A tío Archie con cariño".

Sin pensarlo dos veces, abrió el sobre y sacó una tarjeta brillante de cumpleaños. Dentro decía: "Feliz 50 cumpleaños. ¡Disfruta del partido! Te quieren, Maggie y Ted".

Una entrada para el partido de los Rangers contra los Leafs estaba sujeta a la tarjeta con un clip.

Una sonrisa se dibujó en la cara ancha del Timador. "Mejor que mejor", reflexionó con un brillo en sus ojos de huevo frito.

"Bueno, no para Archie. Él no irá al partido. Pero yo sí".

19

Jueves, el día de la operación.

Griffin no recordaba haber estado tan distraído en la escuela antes. El Sr. Martínez podía estar dando las clases en suahili por lo que a Griffin concernía. Su mente estaba perdida en los detalles del plan. Era como si tuvieras una cita para luchar contra un cocodrilo un poco más adelante, pero en ese momento tienes que dedicarte a deletrear palabras y pretender que es importante.

Sabía que los otros miembros del equipo también estaban nerviosos. Cuando Ben fue a la enfermería para tomar su medicina de la alergia, se tropezó con sus propios pies al salir. Pitch estaba concentrada y distante. Logan murmuraba para sí mismo más de lo

normal, y sus comentarios no tenían nada que ver con su futuro artístico. Savannah estaba tan distraída que ya se había comido medio sándwich cuando les preguntó a las señoras de la cafetería si el atún con el que se había hecho no afectaba a los delfines. Incluso Darren estaba callado, reservado y menos insoportable de lo normal.

Con Melissa, no había manera de saber nada. Podía estar muerta de miedo detrás de su cortina de pelo. Una cosa era segura, seguía trabajando, llevaba su computadora portátil a todas partes y vigilaba el correo electrónico del Timador.

Fue después del almuerzo, la Hora Cero menos seis, cuando se acercó a Griffin.

—Tenemos un problema —susurró.

Griffin intentó que su nerviosismo no se notara cuando miró el mensaje que había en la pantalla.

> Sr. Timoteo:
> Debido al interés tan alto de los medios de comunicación, la Casa de Subastas de Worthington ha decidido pasar a recoger su objeto el jueves por la tarde en lugar del

viernes por la mañana. Nuestro mensajero estará en su casa entre las 4:30 y las 5:00 p.m.

Por favor, confirme que su dirección es 531 Park Avenue Extension, Cedarville, Nueva York.

Sinceramente,

Eric Mansfield, jefe de mensajeros

El pánico de Griffin salió por la boca de Ben.

—¡Eso es dos horas antes de nuestro plan! —gritó el chico—. Griffin, ¿qué vamos a hacer? ¡No podemos robar una tarjeta que ya está en la Ciudad de Nueva York!

Griffin estaba intentando respirar profundamente, tratando de mantener el control.

—Muy bien, me alegro que haya pasado esto. Son buenas noticias.

—¿Y eso por qué? —dijo Ben.

—A veces hay cambios inesperados en todos los planes. Ahora que por fin han aparecido, ya podemos intentar esquivarlos.

—¡El hecho de que la tarjeta no esté ahí no es algo que podamos esquivar! —protestó Ben.

—El Timador todavía no ha leído este mensaje —les recordó Melissa—. Lo intercepté antes de que entrara en su computadora. ¿No podemos contestar al señor de la subasta y decir que somos Timoteo? Podemos pedirle que vaya unas horas más tarde.

—Demasiado arriesgado —dijo Griffin, silbando entre dientes—. Si no pueden, a lo mejor intentan llamarlo por teléfono. Lo que sería perfecto es que se perdieran.

—A lo mejor les podemos dar las indicaciones para llegar equivocadas —sugirió Ben.

—No están pidiendo indicaciones —señaló Melissa—. Seguramente tienen uno de esos navegadores por satélite.

La expresión pensativa de Griffin cambió a una sonrisa muy grande.

—Déjame la computadora—. Le dio la vuelta a la computadora y empezó a escribir.

Sr. Mansfield, ¡URGENTE! Nueva dirección.

El pueblo no es Cedarville. Es CEDAR SPRINGS.

Gracias,

Timoteo S. Wendell

Los tres intercambiaron sonrisas nerviosas. Cedar Springs estaba en el Condado de Westchester, a sesenta millas.

A las 6:30, Hora Cero menos una, Logan Kellerman iba en su bicicleta por Park Avenue Extension y se metió en la rampa del garaje del número 530.

Eli Mulroney estaba en su sitio habitual en el porche. La única diferencia en la invariable rutina del minero retirado es que ahora había dos mecedoras, separadas por una mesa baja con un tablero de backgammon.

—Me sorprende que tengas el valor de aparecer por aquí —se burló el anciano— después de la paliza que te di la última vez.

—Solo llevamos once juegos a siete—. Perder, pero no de manera evidente era parte de la actuación. Para Logan, su papel era como el papel de Johnny Depp en *Los piratas del Caribe*.

Colocaron las piezas y pusieron una piedra encima del tablero para evitar que saliera volando con la fuerte brisa.

—Hoy hace mucho viento —comentó Logan—. No estaba seguro de que iba a estar aquí fuera.

Mulroney soltó una risa entrecortada.

—Nos está castigando la parte norte de esa gran tormenta que está arrasando las Carolinas con vientos de hasta cincuenta millas por hora—. Tiró los dados.

Logan miró al otro lado de la calle, al tejado empinado de la casa del Timador y tiritó.

Empezaron a jugar, con el Sr. Mulroney ganando. Ninguno de los dos se percató de las tres niñas que pasaron patinando por la acera.

Logan, por supuesto, sabía que eran Melissa, Savannah y Pitch. Tampoco le sorprendió que las tres eligieran un trozo de hierba cerca de la farola para sentarse y apretarse los cordones de los patines. Es más, él sabía que mientras dos de ellas se estaban atando los cordones, Melissa, escondida detrás de sus amigas, estaba desatornillando el control de mandos de la base de la farola.

La chica se puso un guante con aislamiento, sacó un corta cables pequeño y cortó todos los cables que encontró. Entonces, volvió a poner la tapa y las tres chicas salieron patinando calle abajo. Todo el procedimiento duró menos de lo que tardó el Sr. Mulroney en decidir qué hacer con sus dobles cincos.

La puerta del número 531 se abrió y el Timador salió, vestido con un voluminoso suéter de los Rangers de Nueva York que tapaba su amplia barriga y le llegaba casi hasta las rodillas. Se subió a su Honda Element y salió en dirección a la autopista.

Griffin estaría contento. Timoteo había mordido el cebo. Todos los preparativos para la operación estaban saliendo perfectamente.

Unos minutos más tarde, cuando se encendieron las farolas de la calle, la que estaba en frente de la casa del Timador siguió apagada.

20

Al caer la noche, seis figuras oscuras, con guantes y medias en la cabeza, se reunieron bajo el inmenso tanque de agua municipal de Cedarville. El viento agitaba su ropa y aullaba por las vigas de contención que tenían a su alrededor.

Griffin pensó que nunca se alegraría de ver la cara fea y socarrona de Darren Vader. Pero esa noche, le parecía que Darren tenía muy buen aspecto, sobre todo porque llevaba la gigantesca escalera de aluminio de su padre. Griffin miró a su alrededor y contó cabezas. Todo el equipo estaba en su sitio.

Movió los hombros para acomodar el soplete que llevaba atado a la espalda y se aclaró la garganta para soltar el discurso que

tenía en la cabeza desde que se le ocurrió la idea del robo.

—Lo que vamos a hacer esta noche no es por una tarjeta de béisbol —empezó—. Tampoco es por dinero. Esta noche demostraremos que la justicia no es solo para los adultos, y que no se pueden salir con la suya y despreciar a la gente solo porque son más jóvenes que ellos. Hoy vamos a transmitir ese mensaje. Hoy...

—Bla bla bla —se burló Darren con voz de aburrimiento—. Acaba el rollo, Bing, que no estoy de humor.

—A pesar de lo poco que me gusta estar de acuerdo con Darren —añadió Pitch—, tiene razón. Ya tenemos bastante miedo, Griffin. No necesitamos hablar de por qué estamos haciendo esto. Hagámoslo y ya.

Griffin asintió aturdido, intentando esconder su desilusión.

—Muy bien, vamos.

Como hipnotizadora de perros, Savannah fue la primera en cruzar la valla. Llamó a Luthor unas cuantas veces y después se quedó callada, casi como si intentara sentir la presencia del animal.

—No está afuera —informó finalmente.

Uno por uno cruzaron la valla. Darren fue el último, pasándole la escalera a Griffin antes de saltar y entrar en el jardín del Timador.

Cuando llegaron a la parte de atrás de la casa, en el momento en el que Darren y Pitch estaban desplegando las cuatro secciones de la escalera, Griffin notó que alguien le tiraba la manga. Era Ben.

—Griffin, tengo que hablar contigo.

—¿No puede esperar?

Ben agarró a su amigo muy fuerte por el brazo.

—No puedo subir al tejado.

—¡Por supuesto que puedes! —dijo Griffin.

—No, no puedo. Pensé que podría, pero no. Lo siento.

Griffin se llevó a su amigo a un lado.

—Yo temía que estos payasos se rajaran igual que se rajaron el día de la vieja mansión de los Rockford, ¿pero tú? ¿Tú de qué tienes miedo? ¿Del viento? Vamos a tener un arnés, ¿recuerdas?

—Tengo miedo de quedarme dormido —dijo Ben con voz sumisa.

—¿Quedarte dormido? —Griffin no podía creer lo que oía—. ¿Es que acaso te aburrimos? ¿El robo no es lo suficientemente emocionante para mantenerte despierto? ¿Qué más necesitas? ¿Sirenas de ataque aéreo?

—¡No hagas bromas! Nunca le he dicho esto a nadie, pero tengo narcolepsia.

—¿Qué? ¿Eso qué es?

—Mi cuerpo tiene problemas a la hora de regular el sueño —explicó Ben—. Me puedo quedar dormido a cualquier hora del día o de la noche.

—Pero eso no te va a ocurrir —protestó Griffin—. ¿O sí?

—Lo puedo controlar tomando pequeñas siestas durante el día —explicó Ben sonrojándose—. ¿Sabes que a veces voy a la enfermería para tomarme la medicina para las alergias? Bueno, no son alergias. En realidad tomo una siesta de quince minutos y eso me ayuda a aguantar toda la tarde. Pero cuando cambio un poco mi horario, mi narcolepsia empeora. ¿Te acuerdas cómo me quedé dormido dentro de la caja en la tienda del Timador?

—Lo siento —dijo Griffin—. No tenía ni idea.

—Pensé que podría hacerlo —dijo Ben tristemente—, pero ya estoy bostezando y los párpados me pesan; son síntomas. No quiero dejarlos colgados, pero si me caigo de la escalera no puedo dar marcha atrás. Eso sin nombrar que puedo hacer caer a todo el equipo.

—Chicos —anunció Griffin de repente—, cambio de planes. Ben se va a quedar a vigilar en los arbustos. Melissa, eso quiere decir que tú subirás al tejado con nosotros. ¿Te atreves?

Melissa se apartó el pelo de la cara, e incluso en la oscuridad, era evidente que le brillaban los ojos. Le dio el walkie-talkie a Ben.

—Buena suerte.

—Buena suerte a todos —dijo Pitch abriendo su bolsa. Sacó cinco arneses. Mientras Ben se iba a un lado de la casa, avanzando entre las sombras, Pitch ayudó a sus compañeros a ponerse los chalecos.

Se oyó un golpe bastante fuerte cuando la escalera se apoyó en el lado de la casa. El robo había comenzado.

Con Pitch a la cabeza, el equipo empezó a trepar. Los chicos iban muy cerca los unos de los otros. Veinticuatro pies nunca habían parecido tan lejanos y tan altos. El viento parecía querer separarlos de los peldaños de aluminio. Solo los ánimos calmados de Pitch los ayudaron a seguir subiendo, y el hecho de que la retirada era impensable.

Griffin iba de segundo, justo detrás de Pitch. Había oído hablar muchas veces de lo bien que escalaba con su familia, pero esta era la primera vez que la veía en vivo y en directo. Su trabajo era impresionante. Afianzada tan solo con la fuerza y seguridad de sus manos y pies, ascendía por la gran pendiente hacia la cima del tejado. Desde allí, manteniendo el equilibrio con sólo la tensión de su cuerpo, se quitó el rollo de cuerda del hombro, pasó un extremo por el canalón de ventilación de acero y el otro extremo por el gancho de su arnés.

Ahora que estaba bien atada, ató las otras cuatro cuerdas al canalón y llevó los extremos de estas hasta los aprendices de escaladores que estaban en la escalera. A cada uno, les ató la cuerda a su chaleco y lo subió al tejado.

El saber que estaba bien atado a su arnés no impidió que Griffin casi dejara la cena en el tejado del Timador. El lugar donde se encontraba le resultaba tan extraño que se sentía como si estuviera intentado caminar por el espacio, sobre una superficie nada familiar, con un viento castigador y una oscuridad total.

En un silencio doloroso, el equipo gateó hasta la cima del tejado y pasó al otro lado. Ahora estaban descendiendo por la parte de delante del tejado, avanzando lentamente hacia el tragaluz que sería su puerta de entrada a la casa.

De pronto, Darren empezó a deslizarse hacia abajo fuera de control. No gritó, pero Griffin vio el horror en sus ojos mientras el chico bajaba rodando desesperadamente, pasaba el tragaluz e iba directo hacia el vacío.

Apenas a un metro del borde, su cuerda se tensó y dejó de bajar. Pitch tenía razón: "Aunque te caigas, no llegas al suelo".

—Relájate —dijo Pitch suavemente—. Recupera la respiración y vuelve hasta donde estamos nosotros en el tragaluz.

Darren asintió disciplinadamente. Fue una de las extrañas ocasiones en las que no se le ocurrió ningún comentario gracioso. Se puso de rodillas y avanzó tirando de la cuerda, una mano detrás de la otra.

Unos minutos más tarde, los cinco miembros del equipo del robo se encontraban alrededor del tragaluz.

Griffin y Pitch tocaron la junta que sellaba herméticamente la ventana piramidal. Pudieron pasar fácilmente los dedos por debajo de la goma y levantar el pesado cristal.

Griffin notó un sentimiento de triunfo al mirar hacia abajo, al cuarto de baño de la casa del Timador. Ya estaban dentro.

En todos los años que Lamar Fontaine había trabajado como mensajero para la Casa de Subastas de Worthington, nunca había estado tan perdido. Cedar Springs, en Nueva York, era un pequeño pueblo escondido en una esquina remota del Condado de Westchester. Había un Park Avenue, pero no un Park Avenue Extension. Si seguías más allá de Park Avenue, acababas en el fondo de un lago. Y definitivamente no existía el número 531. No había 531 casas en todo el pueblo y probablemente ni siquiera había 531 habitantes.

Le daba la sensación de haber hablado prácticamente con todos los habitantes para pedir indicaciones. Esto era peor que aquella

vez que había tenido que llevar el jarrón de Ming a Brooklyn durante el gran apagón.

Por fin encontró una gasolinera y entró a pedir ayuda. El dependiente no tenía ni idea, pero uno de los clientes aclaró un poco el asunto.

—Mira, no quiero meterme donde nadie me llama, pero yo crecí en Long Island y creo que lo que estás buscando es Cedarville, no Cedar Springs. Ese es el único lugar que conozco donde hay un Park Avenue Extension.

—Gracias—. Fontaine volvió frustrado a su furgoneta. El pueblo equivocado. El condado equivocado. La parte equivocada del estado. Se volvía a repetir la historia del jarrón de Ming. ¿Por qué a él?

Cinco cuerdas de nylon cayeron al piso del cuarto de baño desde el tragaluz.

Savannah fue la primera en bajar, con la mirada atenta por si veía alguna señal de Luthor.

—La costa está despejada —dijo mirando hacia arriba.

Griffin fue el siguiente en descender,

seguido de Melissa y de Darren, que dejó un montón de huellas de botas en la pared. Griffin le dio una toalla para que las borrara.

Pitch se aseguró de que todos habían bajado a salvo antes de bajar ella misma con su propia cuerda. De pronto, se oyó el ruido de un metal que se rajaba y se precipitaba sobre ellos. Griffin se puso debajo de Pitch para intentar amortiguar su caída. Entre él y Darren, la consiguieron parar a medias, pero no pudieron evitar que se torciera el tobillo al chocar contra el suelo de baldosas.

—¡Ay!

El canalón roto cayó detrás, rajado y oxidado, con las cinco cuerdas.

—Pitch, ¿estás bien? —susurró Griffin preocupado.

Pitch intentó mover la pierna derecha, rechinando los dientes y se retorció del dolor.

—Creo que no está rota —consiguió decir—, pero me he debido de hacer un esguince.

—¿Puedes caminar? —preguntó Savannah.

—Haré lo posible —contestó Pitch estoicamente—. Pero no puedo trepar más. —Miró el trozo de canalón y el amasijo de cuerdas—. Supongo que ninguno de nosotros podrá hacerlo.

La horrible realidad cayó sobre Griffin.

—¿Quieres decir que estamos atrapados aquí?

Pitch asintió tristemente.

—Yo podría haber subido sola e intentar buscar algo para ayudarlos a subir. Pero ahora no puedo.

Griffin buscó el walkie-talkie que llevaba en el cinturón.

—Ben, tenemos un problema. Tienes que encontrar la manera de subir a esa escalera y tirarnos cuerdas nuevas. Sé que no es algo que quieres hacer, pero es una emergencia. Pitch está... —Frunció el ceño—. ¡Ben! Ben, ¿estás ahí? —Le dio un golpe a la radio contra el muslo—. ¡Ben, contesta! ¡Por favor!

Miró a los otros.

—Ben no va a responder durante un rato. Es una historia muy larga.

—¿Quieres decir que no nos queda otro remedio que esperar aquí hasta que el Timador

vuelva a su casa y nos encuentre? —preguntó Savannah horrorizada.

—De eso nada —dijo Darren tranquilamente—. Si no nos queda otra, saldremos por la puerta principal. Y si suena la alarma, que suene. Seguro que llego a mi casa antes que la policía.

—¡Nada de alarmas! —exclamó Griffin—. Nadie va a abrir una ventana o una puerta a no ser que yo lo diga. Nos vamos a atener al plan.

—Tu precioso plan se ha estropeado —dijo Darren señalando a Pitch—, ¿o es que no te has dado cuenta?

—El plan consiste en, lo primero, encontrar la tarjeta —insistió Griffin—. Después nos preocuparemos de cómo salir.

—Mientras tanto —dijo Melissa—, voy a mirar el tablero de la alarma. A lo mejor puedo hacer algo.

—No puedes apagar el sistema —advirtió Griffin—. Si lo haces, contactarán al Timador y seguro que llama a la policía.

—Tendré cuidado —prometió Melissa—. Confía en mí.

Griffin estaba impresionado de lo mucho que confiaba en ella.

—Recuerden que todos tienen que ponerse los guantes para no dejar huellas dactilares—. Tragó en seco. A lo mejor la operación todavía no había fracasado.

Sus pensamientos fueron interrumpidos por unos gruñidos que venían del pasillo. Cuando la cabeza marrón y negra de Luthor apareció delante de la luz de la linterna de Griffin, el doberman ya iba a toda velocidad, en plan de ataque.

—¡Savannah! —gritó Griffin, empujando a la hipnotizadora de perros y poniéndola delante de las noventa libras de poderosa masa canina.

Savannah se quitó la media de la cabeza, dejando que su pelo largo cayera sobre los hombros.

—¡Luthor! ¡Cariño!

El gran perro de guardia se paró de golpe, se tumbó boca arriba, moviéndose como un cachorrito y mostrando su barriga para que lo acariciaran.

Savannah empezó a acariciarlo y a decirle palabras dulces.

—¡Qué perrito más bueno! ¡Oh, cuánto te he echado de menos!

—Muy bien, chicos. —Griffin no se había dado cuenta de que estaba aguantando la respiración hasta que soltó el aire—. Vamos a dividirnos. Tenemos que encontrar la caja fuerte.

Pitch entró cojeando en una pequeña habitación de huéspedes y se sentó en la cama con esfuerzo. Levantó la pernera de sus pantalones y se iluminó el tobillo con la linterna. De momento no tenía muy mal aspecto, pero sabía que si se le ocurría quitarse el zapato, no se lo podría volver a poner. Iba a hincharse como una sandía. Debería ponerse hielo inmediatamente, pero cuando estás en medio de un robo, ¿quién tiene tiempo para eso? No pensaba abandonar a los otros, ahora que ella se había hecho daño.

Griffin entró.

—¿Alguna señal de la caja fuerte?

Pitch se acercó al pequeño armario y miró.

—Nada.

Griffin notó el esfuerzo que le suponía a su amiga dar cada paso.

—¿Vas a estar bien? A lo mejor deberías

quedarte sentada. Nosotros la encontraremos.

—Sobreviviré —le aseguró Pitch.

—Más te vale—. Se metió en el pasillo oscuro donde casi choca con Savannah y el perro.

—Griffin, a Luthor le pasa algo.

—Sí, es un psicópata. ¿Alguna otra novedad?

—¡Lo digo en serio! Está nervioso y preocupado. No para de mirar por encima del hombro. Creo que está intentando decirme algo. —Como para demostrar que tenía razón, el perro mordió con cuidado la manga de su camisa y empezó a tirar de ella hacia las escaleras—. ¿Ves?

—Mira —dijo Griffin impacientemente—, mañana haremos una llamada anónima y le diremos al Timador que lo lleve al veterinario. Pero en estos momentos va a tener que aguantarse. Mientras no muerda a nadie, el perro estará bien. ¿De acuerdo?

—Pero Griffin…

De pronto, se oyó la voz de Darren.

—¡La tengo! ¡Está aquí!

Los exploradores se reunieron en la habitación principal. Darren estaba a cuatro patas, apuntando con la linterna por debajo de la mesita de noche. Ahí, medio escondida y clavada al suelo, estaba la caja fuerte que Griffin y Ben habían visto por primera vez tras el mostrador del Emporio de Artículos Memorables y de Colección de Timoteo.

La caja que guardaba el premio de un millón de dólares.

Griffin se quitó el soplete que llevaba a la espalda y sacó unas gafas de seguridad y un encendedor de su bolsillo.

—Déjenme pasar, chicos —dijo.

Abrió el gas y sacó chispas para encender la llama.

* * *

Melissa llevaba observando la puerta de entrada por lo menos durante veinte minutos. Cuanto más lo pensaba, más obvia le resultaba la solución. Era completamente sencillo, pero extremadamente delicado.

Había dos sensores magnéticos, uno en el marco de la puerta y el otro en la propia puerta. Cuando se abría la puerta, las dos piezas se separaban, dejaban de hacer contacto y eso hacía sonar la alarma.

"Todo lo que tenemos que hacer es quitar el sensor de la puerta y mantenerlo pegado a la otra parte".

El problema es que si se equivocaba, si se le iba la mano, si se le caía una de las partes, los arrestarían a todos.

Melissa sabía que era una genio de la electrónica. En su casa había montado sus propias computadoras que venían con las piezas por separado. Podía hacerlo con los ojos cerrados y una mano atada a la espalda.

Pero nunca había habido tanto en juego, y tanta gente involucrada. Ella era una chica

solitaria. Formar parte de un equipo era una experiencia completamente nueva para ella. A lo mejor debería preguntarle a los otros, hablar con Griffin.

Su mente volvió al papel verde por el que la habían invitado a la primera reunión en la Sala de Pelotas: "Has sido elegida por tus habilidades especiales..."

Esta era su especialidad. Iba a hacerlo y probarse a sí misma que ella pertenecía al grupo tanto como cualquier otro.

Corrió a la cocina y empezó a rebuscar hasta que encontró el cajón de los trastos. Ahí, casi a la vista, estaban las dos cosas que estaba buscando: un pequeño destornillador de estrella y un rollo de cinta de pintor.

Cuando regresó a la puerta, apoyó la linterna en una mesa del recibidor para iluminar la zona de trabajo. Después rodeó las dos piezas de la alarma con cinta. Con la delicadeza de un cirujano —afortunadamente sus guantes le quedaban bien ajustados—, quitó los dos tornillos que unían la pieza a la puerta. Ahora que la había liberado, la cinta la mantenía en su sitio.

Estaba muerta de miedo, pero no le temblaban las manos para nada. Con un cuidado inmenso, movió la pieza suelta hasta que la puso en contacto con la otra pieza del marco de la puerta. Las juntó con más cinta. Había suficiente espacio para abrir y cerrar la puerta.

De momento todo iba bien. Solo había que comprobar si funcionaba.

Abrió el cerrojo, giró la manilla y abrió la puerta unas seis pulgadas. Una brisa de aire frío la golpeó. La alarma no sonó. La emoción de su triunfo era tan grande que apenas podía contener el grito de alegría.

Si hubiera gritado, habría despertado a Ben, que estaba a tan solo un par de metros, acurrucado entre los arbustos, como si estuviera en una cama de plumas.

—Luthor, ¿qué te pasa? —le preguntó Savannah al doberman por enésima vez—. ¿Por qué te comportas de esta manera tan extraña?

La hipnotizadora de perros llevaba un buen rato intentando calmar al nervioso Luthor. Pero no podía. Savannah presumía de poder

leer los pensamientos de los animales por su lenguaje corporal, pero todo lo que podía leer en Luthor era intranquilidad. Lo que le preocupaba aun más, no podía quitarse el presentimiento de que la criatura intentaba decirle algo importante.

Lloriqueando y retorciéndose, Luthor la volvió a agarrar de la manga y a tirar de ella hacia las escaleras.

—Está bien, ya voy. No tires tan fuerte—. Le resultaba bastante difícil mantenerse de pie mientras tiraban de ella escaleras abajo y a través de las baldosas del pasillo principal. Al intentar seguir al perro, se dio cuenta de que Luthor tenía un destino muy claro en la cabeza, una especie de oficina en la parte de delante de la casa. Cuanto más se acercaban, más nervioso y saltarín se ponía.

Intrigada, Savannah iluminó la habitación con su linterna. Casi no lo vio. Dormido sobre una pequeña alfombra, se encontraba el pastor alemán más grande que había visto en su vida. Según lo estaba observando, el enorme perro se movió y levantó su inmensa cabeza hacia el haz de luz. Sus ojos brillantes se clavaron en ella.

Savannah Drysdale nunca había tenido miedo de ningún animal en toda su vida. Pero la ferocidad que vio en los ojos del animal, mezclado con el miedo del doberman que tenía a su lado, hizo que tomara una decisión en milésimas de segundo. Cerró la puerta de un golpe. El impacto del cuerpo en el otro lado de la puerta la convenció de que había hecho lo correcto.

Agarró a Luthor por el collar y bajó corriendo las escaleras. Unos ladridos furiosos resonaron por toda la casa.

Llegó jadeando a la habitación principal, donde Griffin ya estaba a medio camino de hacer un agujero grande en un lado de la caja fuerte. El olor corrosivo a humo llenaba el aire y el metal brillaba con un color anaranjado por la raja que había hecho el soplete.

Pitch estaba sentada en la cama, descansando su tobillo lesionado.

—¿Qué son esos ladridos? ¿Qué le pasa a Luthor? —Su mirada confundida se posó en el doberman, que estaba dócilmente al lado de Savannah—. Oh...

—¡Hay otro perro! —soltó Savannah—.

¡Creo que es un perro entrenado para atacar!

—¿Está suelto? —dijo Griffin alarmado.

—Está atrapado en una habitación de abajo —respondió Savannah—. Creo que es macho. No me puedo imaginar a una hembra de ese tamaño. Me temo que encontrará la manera de atravesar la puerta.

—¿No lo puedes calmar? —exigió Darren—. ¡Se supone que ese es tu trabajo!

—Este no es el momento de intentarlo —insistió Savannah—. Hay demasiada gente, intrusos en una casa que se supone que tiene que proteger. Además podía asustar a Luthor, el pobre está aterrorizado con ese monstruo.

Con el corazón en un puño, el equipo se dio cuenta de que la hipnotizadora de perros tenía razón. Las palabras de Savannah las confirmaban los ladridos furiosos y golpes que se escuchaban por toda la casa.

—Que no cunda el pánico —ordenó Griffin—. En unos minutos habré abierto la caja fuerte. Tendremos la tarjeta y Melissa habrá descubierto la manera de salir de aquí. El plan sigue sobre ruedas.

Los gemidos nerviosos de Luthor indicaban que él no pensaba lo mismo que Griffin. El perro parecía más asustado que los chicos.

El torneo de backgammon iba 13 a 9 cuando empezaron los ladridos.

—¡Escucha ese escándalo! —protestó Eli Mulroney—. Aquí mi vecino tenía que tener los dos perros más ruidosos del mundo.

Logan se atragantó y escupió ginger ale encima de su ropa.

—¿Dos perros?

El anciano asintió molesto.

—Ya con Luthor las cosas estaban lo suficientemente mal, pero hace dos días mi vecino trajo una bestia de alquiler que hace que Luthor parezca un hámster a su lado. He oído que tiene no sé qué tarjeta de béisbol que por lo visto es muy valiosa.

Logan no podía hacer nada más que

seguir jugando e intentar no pensar lo que podía estar pasando al otro lado de la calle. Además, pensó, el grupo tenía a una buena vigilante en los arbustos, Melissa. Si las cosas se ponían demasiado mal, Griffin la llamaría por el walkie-talkie para que pidiera ayuda.

Una camioneta negra y brillante se movía lentamente por la calle, con el conductor asomado a la ventanilla, fijándose en los números de las casas. Pasó la casa de Mulroney, giró en redondo y se paró delante del porche, con el motor en marcha.

—Perdone, señor. Estoy buscando el 531 de Park Avenue Extension.

El Sr. Mulroney señaló la casa de Timoteo.

—Es justo ahí. No se puede ver ni una maldita cosa sin la luz de la farola. La manera como mantienen este pueblo debería ser un crimen federal.

—Gracias—. La camioneta se alejó de la acera, se metió en la rampa del garaje del Timador y estacionó.

El Sr. Mulroney le pasó los dados a Logan.

—Te toca. Oye, Logan, parece como si hubieras visto un fantasma.

Era mucho peor que eso. Logan veía cómo el conductor salía de su auto y subía los escalones de la puerta principal de la casa del Timador.

A Griffin le picaban los ojos del sudor que le caía por la frente y se metía por sus gafas protectoras. La media que llevaba en la cabeza estaba empapada de sudor. Había visto a su padre usar el soplete muchas veces, pero nunca se hubiera imaginado que fuera tan agotador. O a lo mejor era la conmoción que le crecía por dentro mientras sujetaba la llama para cortar los últimos centímetros del metal.

La emoción era indescriptible. Apenas quedaba un hilo entre él y la finalización del plan más increíble en el que había participado. Eran tantas cosas a la vez: la victoria, la justicia, la venganza. Eso por no mencionar la cantidad enorme de dinero.

En ese momento el trozo se cayó al suelo y Griffin se quedó mirando el agujero

que había hecho en la caja fuerte. Darren enfocó la linterna para que pudiera mirar adentro. Con cuidado de no tocar los bordes calientes del agujero, metió la mano y sacó el contenido de la caja.

Había unos papeles, un montón de monedas de coleccionista y trescientos dólares en efectivo.

Los cinco miembros del equipo rebuscaron en lo que Griffin había sacado.

El Bambino no estaba ahí.

Darren expresó su agonía con palabras:

—¡Bing, eres un idiota! ¿Dónde está la tarjeta?

—¡Yo pensé que estaría aquí! —gritó Griffin. Estaba demasiado estupefacto y enojado como para discutir con Darren—. No he hecho este agujero para pasar el tiempo, espero que lo sepas.

Pitch movió la cabeza con incredibilidad.

—Ese Timador es un tipo duro de pelar.

—¡Todavía no hemos terminado! —prometió Griffin—. Los de la subasta pensaban venir a buscar la tarjeta hoy. ¡Tiene que estar en algún lugar de esta casa!

—¡Genial! —dijo Darren entre dientes—. Casi me caigo del tejado, ahora hay un perro asesino que se está comiendo la puerta para venir a buscarnos y encima la tarjeta no aparece. ¿Qué podría ser peor?

Sonó el timbre de la puerta.

Lamar Fontaine apretó el botón por segunda vez.

Din don.

La casa estaba oscura, pero juraría que había visto movimiento en la habitación de delante.

Además, él era un mensajero oficial, en el que confiaban para entregar y recibir objetos de un valor de hasta un millón de dólares. A él no lo dejaban plantado, aunque llegara horas tarde.

Volvió a tocar el timbre y luego intentó abrir la puerta. Giró el pomo y abrió la puerta de par en par.

La situación le resultaba demasiado familiar, esa lucha por vencer el sueño e intentar descrifrar dónde se encontraba. De pronto, Ben Slovak se dio cuenta que se encontraba

en medio de los arbustos que rodeaban la casa del Timador.

"¡Oh, no! ¡El robo!"

Se oía un ruido, como un ulular al otro lado de la calle, e intentó recordar qué quería decir.

"¡La señal!"

¿Por qué estaría dando Logan la señal de emergencia?

Miró hacia arriba y se dio cuenta. Un hombre alto estaba entrando por la puerta principal.

Sacó el walkie-talkie y apretó el botón.

—Griffin, ¡hay un señor entrando en la casa!

—Ya lo sabemos —respondió una voz con un susurro—. ¿Es Timoteo?

—No, definitivamente no. Debe de ser alguien que está buscando a Timoteo.

El recién llegado estaba en el recibidor.

—¿Sr. Wendell? —llamó—. Soy el mensajero. Sr. Wendell...

Cruzó el recibidor y abrió la puerta para echar un vistazo adentro.

Lo que sucedió a continuación fue una imagen tan aterrorizadora que se quedará

para siempre grabada en la memoria de Ben Slovak, el chico que era capaz de quedarse dormido hasta en medio de un robo.

Un animal inmenso salió como una flecha de la habitación y se abalanzó al intruso. Aterrorizado, el hombre le tiró su maletín, golpeando en el hocico al pastor alemán. El perro aulló de dolor y rabia y reculó por un instante. Cuando consiguió recuperarse para volver a atacar, Lamar Fontaine salía apresuradamente por las baldosas hacia las escaleras del sótano. Cerró la puerta tras de él una décima de segundo antes de que el perro se lanzara sobre ella, aullando con rabia al volver a lastimarse el hocico adolorido.

Se estaba preparando para volver a atacar cuando oyó un ladrido por encima de él. Eso hizo que el perro de guardia saliera galopando escaleras arriba.

—¡Griffin! —Ben intentó avisarles—. ¡Todos! ¡Escóndanse!

Pero no había tiempo para esconderse, ni siquiera para pensar. Los chicos se encontraban atrapados en la habitación principal. El pastor alemán apareció por la puerta, amenazante, bloqueándoles la salida.

La hipnotizadora de perros dio unos pasos hacia delante.

—Hola, grandulón —dijo con un tono apaciguador—. Tú no quieres lastimar a nadie. Aquí todos somos amigos. No vamos a...

Con un rugido malvado, el monstruo se lanzó hacia ella. Al ver que Savannah estaba en peligro, Luthor se interpuso en el camino de la fiera. Los dos perros chocaron en el aire y cayeron al suelo, mordiéndose y forcejeando.

Los chicos no perdieron ni un minuto, salieron del cuarto y bajaron las escaleras, con Griffin y Darren intentando llevar a Pitch en brazos.

Ben se encontró con sus amigos a medio camino.

—¡Los persigue un perro y no es Luthor!

—¡Rápido! ¡Vamos a la cocina! —ordenó Savannah.

—¿Por qué? —dijo Darren— ¿Ahora te vas a poner a cocinar un soufflé?

—Voy a buscar algo de carne para distraer a esa fiera y que no mate al pobre Luthor.

Nadie discutió con ella. La lucha del doberman contra el pastor alemán, que era mucho más grande que él, recordaba a la de David enfrentándose a Goliat. Estaba claro que Luthor había arriesgado su vida para salvar a Savannah.

Los chicos llegaron al piso principal y fueron corriendo a la cocina. Savannah abrió la nevera y empezó a buscar carne.

—¿Hay algún filete? —preguntó Ben esperanzado—. A los perros les encantan los filetes.

—¡No puedo encontrar nada! ¡Esta cosa está en medio!—. Levantó un pavo enorme congelado y lo tiró al piso de baldosas.

Y entonces, en medio de todo aquel caos, una extraña sensación de calma descendió sobre Griffin. Ignoró por completo a sus compañeros y el hecho de que dos perros

peligrosos estuvieran luchando arriba. Recordó su propia voz al decir hacía unos días: "¡Sí, claro! Como que un ladrón sucio y ruin iba a conocer a tanta gente dispuesta a sentarse a comer un pavo de veinte libras con él".

Y después oyó la voz de la experta que salía en el video de Internet cuando agarró la tarjeta y dijo: "¿Por qué está tan fría?".

De pronto, se encontró de rodillas sobre el pavo congelado, metiendo la mano por el hueco debajo de la pechuga.

Darren estaba muerto de asco.

—Ya sabía que estabas loco, Bing, ¡pero nunca pensé que eras de esos a los que les gusta meter la mano por el trasero de un pavo!

Como respuesta, Griffin sacó una bolsita de plástico. A través de la bolsa se veía un dibujo.

Era de Babe Ruth en su uniforme de los Medias Rojas de Boston.

Savannah les quitó la envoltura de plástico a dos filetes grandes, corrió hacia la base de las escaleras y los lanzó hacia arriba. En un instante, los dos perros se olvidaron de su pelea y empezaron a mordisquear la carne fría y dura.

Griffin sacó la tarjeta de la bolsa de plástico y la sujetó con afecto.

—Este es el mejor momento de mi vida.

—¡Sí, y el mío también! —Darren le arrancó el premio de la mano y salió corriendo por la puerta principal—. *Sayonara*, perdedores.

Fue tan impactante, tan inesperado, que los chicos se quedaron ahí, con la boca abierta, viendo cómo se iba.

Entonces, pasaron a la acción, a una estampida salvaje para atraparlo. Hasta Pitch empezó a correr a toda velocidad, saltando y cojeando dolorosamente.

Griffin iba a la cabeza. Con todas las cosas que había planeado, todas las preocupaciones, ¿cómo no se le había ocurrido la posibilidad más obvia de todas, que alguien de su equipo los traicionara? Sobre todo Darren, que siempre había sido su enemigo y un idiota del que no se podía confiar.

¡Pero menudo precio estaba pagando por su único error!

Darren bajó los escalones de la entrada a grandes zancadas. Griffin salió detrás y se quedó sin aliento momentáneamente al notar la ola de frío. A toda velocidad, Ben se

tiró por la barandilla del porche y se lanzó como una ardilla voladora sobre el huidizo Darren.

No consiguió caerle encima, pero estiró el brazo y agarró a Darren por el tobillo. El grandulón perdió el equilibrio y se desplomó en el suelo como una tonelada de ladrillos. La tarjeta de Babe Ruth se le cayó de la mano.

De pronto, el Bambino estaba en el aire, planeando en una gran ráfaga de viento. El equipo miró con agonía cómo la tarjeta de coleccionista de un millón de dólares se movía con las turbulentas corrientes de aire. El viento jugó con ella durante unos segundos más y la depositó en las ramas más altas de un arce.

Con un grito de frustración, Darren se levantó, fue corriendo hasta el tronco del árbol y empezó a trepar como un loco.

Griffin miró a Pitch.

—Imposible —dijo ella leyéndole la mente—. Con el tobillo así, no puedo. Y no quiero que ninguno de ustedes haga el tonto y lo intente. Se matarían y seguramente él también. —Se puso las manos alrededor de la boca—. ¡Darren, nunca lo conseguirás!

—¿Y si usamos la escalera? —sugirió Ben.

—No es lo suficientemente alta —contestó Pitch—. Ese árbol es más alto que la casa.

—¡Es una tarjeta de un millón de dólares! —Griffin estaba a punto de enloquecer—. ¡Tiene que haber alguna manera de llegar a ella!

—Sigue soñando —dijo Savannah molesta—. No lo conseguirías a no ser que tuvieras una herramienta milagrosa que llegara a cuarenta pies, pudiera agarrar una cosa mínima y recuperarla.

La mirada pasmada de Griffin Bing al darse cuenta de lo que estaba pasando era totalmente inusual.

Como la farola de la calle no funcionaba, no se podía ver lo que estaba pasando en la casa del Timador, pero sí se podían oír los gritos y el sonido de las pisadas. Algo estaba ocurriendo al otro lado de la calle.

Eli Mulroney se puso de pie.

—¿Qué demonios…

Logan estaba fuera de sí. Él y el equipo habían repasado el plan muchas veces y en ninguna parte se hablaba de salir a la calle corriendo y gritando. El plan se debía haber descarrilado de alguna manera, pero ahí no podía admitirlo. Así que se limitó a decir con cara muy seria:

—Yo no oigo nada.

Pero obviamente eso no se lo tragó nadie porque el anciano se dio un puñetazo en la palma de la mano.

—¡Hasta aquí hemos llegado! Este vecindario se está yendo al garete. Ha llegado al punto en el que un hombre no puede ni disfrutar unos momentos de tranquilidad en su propio porche. ¡Voy a llamar a la policía!

Pasara lo que pasara, Logan sabía que tenía que hacer algo. En el teatro eso se llamaba improvisar, cuando un actor se salía del guión y hacía lo que le pedía el cuerpo para mejorar la obra. Era el momento de su gran actuación.

Logan apoyó los dos pies en las tablas de madera del piso y se recostó hacia atrás con todas sus fuerzas. La mecedora se echó hacia atrás hasta volcarse, haciéndole caer del porche a un seto de enebro.

—¡Dios mío! Logan, ¿estás bien?

El joven actor estaba mejor que bien. Mientras el anciano estaba ocupado aplicando yodo a los múltiples cortes y arañazos de Logan, no llamaría a la policía.

¡Qué gran actuación!

* * *

Ya casi estaba a mitad de camino de su casa mientras corría a toda velocidad, pero Griffin no notaba el dolor en las piernas ni la falta de aire.

Se acercaba a su propia casa de una forma casi tan clandestina como se había acercado a la casa del Timador. Los padres de Griffin pensaban que su hijo estaba en casa de Ben porque tenían que trabajar como locos en un proyecto para la feria de ciencias.

El garaje se podía abrir desde fuera con una combinación secreta. El mecanismo cobró vida y la puerta empezó a subir. Parecía que hacía más ruido que una montaña de veinte autos juntos, pero nadie salió a investigar qué era ese ruido. A lo mejor sus padres estaban demasiado abstraídos en alguna de sus sesiones para equilibrar el saldo de sus cuentas como para notarlo.

Se quitó el tanque de acetileno que llevaba en la espalda y entró en el garaje, poniendo el soplete en el suelo de cemento. La única luz que había era la luz débil que provenía de la farola de la calle. Dentro, estaba oscuro como

boca de lobo. Griffin chocó con el banco de trabajo de su padre y aguantó la respiración hasta que todas las herramientas dejaron de hacer ruido. Unos cuantos tornillos y tuercas habian sonado al caer al suelo.

El chico tanteó en la oscuridad hasta que su mano se cerró en la barra de aluminio. Era la hora de darle al SuperRecolector su primer uso.

Optó por volver a mayor velocidad en lugar de a hurtadillas, y saltó en su bicicleta, con el aparato haciendo equilibrios mientras pedaleaba a la casa de Timoteo. Cruzó el pueblo en tiempo récord, casi dejando caer el invento de su padre al entrar en Park Avenue Extension.

Era difícil ver nada en la zona donde no había luz de la farola, pero el clamor de las voces emocionadas era inconfundible. Se bajó de su bicicleta de un salto y corrió al lugar de la escena, entrecerrando los ojos para ajustar la vista a la oscuridad. Le pareció ver a Darren que iba trepando a mitad de camino por el tronco. Pero no, la figura era demasiado pequeña. Era Pitch, que subía cuidadosamente, retorciéndose del

dolor con cada movimiento que daba con su tobillo lesionado.

Griffin fue corriendo hasta Ben, que estaba con los otros miembros del equipo, observando el gran arce.

—¿Dónde está Darren?

Ben señaló.

—A lo mejor sí que es medio gorila.

Griffin pegó un grito. Con razón no había visto antes a Darren. El chico estaba a treinta pies de altura, a tan solo un cuerpo de la tarjeta de Babe Ruth. Estaba colgado de una rama estrecha, columpiándose con el viento y acercándose cada vez más al premio de un millón de dólares.

Savannah miró el SuperRecolector con escepticismo.

—Me parece que has elegido un momento un tanto extraño para ir a pescar.

—¡Es el invento de mi padre! ¡Con esto podremos agarrar la tarjeta! Oye, ¿por qué dejaron que Pitch subiera con la pierna mala?

El drama que estaba sucediendo en el árbol había hecho que Melissa saliera de detrás de su máscara de pelo. Tenía los ojos bien abiertos y observaba con emoción a los dos escaladores.

—Yo creo que ella no va detrás de la tarjeta. Está yendo detrás de Darren.

—Parece que Darren se las arregla bien solo —observó Ben nerviosamente—. Un metro más y habrá llegado.

Según dijo eso, Darren se impulsó hacia arriba en la rama ondulante y se estiró para agarrar al Bambino. Sus dedos pasaron a tan solo unas pulgadas por debajo.

Griffin encendió el SuperRecolector y apretó el botón. Con un zumbido suave, el tubo de aluminio se empezó a estirar hacia arriba, como un telescopio, izándose por encima de ellos en medio de la noche.

"¡Funciona!" pensó impresionado. No es que hubiera dudado de su padre, pero nunca se había imaginado que fuera a ser tan impresionante. En el aire flotaban muchas hojas y los árboles se mecían con el viento. Pero el SuperRecolector no se inmutó, siguió subiendo recto entre las ramas del arce como un rayo láser.

—¿Qué demonios...?—. Pitch dio un salto mortal cuando el metal brillante pasó zumbando al lado de su hombro.

—Increíble —exclamó Ben—. ¡Tu padre es realmente un genio!

Griffin movió los pies e intentó apuntar las pinzas agarradoras de fruta a la pequeña tarjeta. Cada movimiento que hacía desde ahí abajo se convertía en un gran balanceo en el otro lado del brazo metálico. El mecanismo de agarre se movía salvajemente mientras se acercaba a la copa del árbol.

Darren trepó un poco más alto en su rama. Extendió el brazo y tocó con la punta de los dedos el borde de la tarjeta. ¡Ahora sí!

Mientras se preparaba para el estiramiento final que lo haría millonario, un tubo de metal pasó justo por delante de él. El aparato abrió sus pinzas acolchadas con punta de goma y se cerró delicadamente sobre la tarjeta de Babe Ruth y, con un pequeño giro, la arrancó de la rama.

A Darren casi se le salen los ojos del asombro. "El... El... ¿El tonto Recolector?"

Se lanzó hacia la tarjeta pero las pinzas ya habían empezado a bajar, llevándose consigo la misma. Y se oyó un crujido preocupante.

"Oh, no..."

Desde abajo, los chicos observaban con ansiedad mientras el premio emprendía su descenso.

—Despacito —dijo Ben ansiosamente.

Griffin se agarraba al SuperRecolector como un pescador que ha pescado un tiburón en medio de un temporal.

—No te preocupes. El mecanismo patentado del SuperRecolector garantiza que la fruta no se dañe.

—Eso no es una fruta —señaló Savannah—. Eso que lleva supone mis estudios para ser veterinaria, la computadora de Melissa, las clases de actuación de Logan, el viaje de escalada de Pitch, la universidad, autos nuevos cuando seamos lo suficientemente mayores...

Melissa tenía una sonrisa tan amplia que casi le llenaba toda la cara.

—¡No puedo creer que lo hayamos conseguido!

Entonces se oyó una voz desde arriba.

—¡Socorro!

Darren venía en picada, todavía agarrado a una rama que comenzaba a desprenderse del árbol. El grupo observaba impotentemente a medida que se desplomaba hacia ellos. A diez pies de altura, la rama se detuvo, dio una sacudida violenta y salió en dirección a la casa.

¡Cras!

La rama chocó contra la ventana de abajo, rompiendo el cristal en mil pedazos y lanzando a Darren como una muñeca de trapo hasta la casa del Timador.

Una sirena ensordecedora retumbó por todo el vecindario al sonar la alarma UltraTech. Griffin dejó el SuperRecolector y salió disparado hacia la casa junto con Ben,

Savannah y Melissa. Pitch se tiró del árbol y fue cojeando detrás de ellos.

Griffin podía notar el sabor amargo que empezaba a sentir en su garganta. Se asomó adentro y vio a Darren tendido entre los restos de la ventana, inmóvil.

"Dios mío, ¿está muerto?"

Entonces, el chico grandulón se dio la vuelta, agitó el puño y empezó a gritar de rabia. La sensación de alivio hizo que Griffin se tambaleara. No se imaginaba cómo podía estar tan contento de que el tonto ese le estuviera gritando.

Con la ayuda de Melissa, arrastraron a Darren hasta el alféizar de la ventana. Excepto por unos rasgones en la ropa y unos cuantos rasguños y golpes, el chico que los había traicionado estaba ileso.

—¿Estás bien? —le preguntó Pitch al oído. Cuando Darren asintió sumisamente, ella se preparó y le pegó un puñetazo en el estómago.

Logan apareció en medio de la escena salvaje, gritando como un loco. Era imposible oírlo con el ruido de la sirena, pero estaba claro lo que quería decir: este caos en la

calle no era parte del plan. ¿Qué había salido mal?

Griffin lo agarró por los hombros.

—¡Se supone que deberías estar con el Sr. Mulroney!

—¿Tú crees que él se va a quedar ahí sentado con todo este ruido? —contestó gritando el actor—. Entró en su casa para llamar a la policía, ¡así que yo salí corriendo! ¿Tenemos la tarjeta?

¡La tarjeta! El SuperRecolector estaba en el suelo en algún sitio, con una carga de un millón de dólares entre sus pinzas.

Griffin volvió sobre sus pasos, buscando en la hierba desesperadamente. No podía ver nada en la oscuridad.

"Esto no puede estar pasando... no ahora que estamos tan cerca..."

Un destello metálico llamó su atención. Con el corazón a toda velocidad, agarró el invento de su padre. La tarjeta seguía sujeta al mecanismo.

El aullido de la alarma que retumbaba en todas partes se apagó de repente. Después de haber estado bajo ese sonido tan apabullante, el silencio resultaba tan explosivo como una

bomba. La tranquilidad inesperada reveló dos nuevos ruidos: las sirenas de la policía en la distancia y el ladrido de un perro de guardia... no, dos perros de guardia.

—¡Código Z! —aulló Griffin.

En todos los planes de Griffin siempre había un código Z, una cláusula de escape. Era el momento en el que la operación se había completado o los habían pillado o ambas cosas y todo lo que quedaba por hacer era salir disparado.

El equipo se separó.

—¡Oye! —gritó Darren—. ¡Alguien me tiene que ayudar con la escalera!

—¡Ni lo sueñes! —rugió Pitch, que iba cojeando a toda velocidad, lo que indicaba que su tobillo estaba mejor.

Darren fue corriendo hasta un lado de la casa e intentó separar la escalera de veinticuatro pies de la pared. La parte de arriba de la misma se movió más de la cuenta y se tuvo que agachar para que no le diera cuando toda la escalera se desplomó dando un golpe tremendo en el cristal. Respirando profundamente, empezó a doblar las secciones de seis pies y ponerlas en su sitio.

La segunda pieza no se movía. Desesperado, empezó a darle pisotones.

—¡Vamos!

Tomó una decisión en una décima de segundo y salió corriendo detrás de los otros.

—¡Esperen!—. Si esos dos perros descubrían la ventana rota, no saldría bien parado llevando una escalera en la espalda. Y esa misma escalera iba a resultar demasiado sospechosa si los policías lo pillaban con ella cuando investigaran que alguien había entrado en la casa por el tejado. En este mundo nada era gratis y el costo de nada era la escalera. Ya se lo explicaría más adelante a sus padres de alguna manera, aunque tuviera que decirles que Griffin Bing la robó.

Griffin se metió la tarjeta en el bolsillo y él y Ben salieron disparados hacia sus bicicletas.

—¡Sujeta esto! —le ordenó Griffin a Ben, dándole el SuperRecolector—. ¡Y esta vez procura mantenerte despierto!

Y así se alejaron, pedaleando uno al lado del otro por Park Avenue Extension, girando por una calle lateral para evitar chocar con la

policía que llegaba a toda velocidad.

—¿Qué pasará si el Timador descubre que fuimos nosotros? —dijo Ben—. ¡La policía nos registrará y encontrará la tarjeta!

Griffin bajó la marcha y se paró cerca de un buzón de correos.

—Lo tengo todo planeado—. Metió la mano dentro de la camisa y sacó un sobre que ya tenía la dirección y la estampilla. Metió la tarjeta dentro, cerró el sobre y lo metió por la ranura del buzón.

Ben abrió los ojos como platos.

—¿La has enviado por correo? ¿A quién?

—Es mejor que no lo sepas.

Se volvieron a subir a sus bicicletas y fueron a la casa de Ben, que se bajó y le dio a Griffin el SuperRecolector.

—Oye, yo siempre te había admirado mucho —dijo Ben solemnemente—, pero nunca imaginé que pudiéramos conseguir algo como lo que hicimos esta noche.

—Todo lo que se necesita —contestó Griffin— es el plan perfecto.

Solo con pensar en el éxito de la operación se le dibujó una sonrisa en sus labios. Mientras volvía pedaleando a su casa, se

permitió unos momentos de reconocimiento personal. Es cierto que había habido algunos problemitas, como la lesión de Pitch, la siesta de Ben, la caja fuerte vacía, el otro perro, el tipo en la puerta y sobre todo, la traición de Darren. Pero el equipo había sabido improvisar, darle la vuelta a la situación y conseguirlo. Al fin y al cabo, el equipo era parte del plan. Y este había sido el plan que superaba todos los planes.

Cuando dobló la esquina de su propia cuadra, el corazón casi se le sale del pecho. Unas luces de colores bailaban sobre la fachada de ladrillos de la casa de los Bing. Un coche de policía estaba estacionado en la rampa del garaje, con las luces encendidas.

Griffin estaba estupefacto. ¿Cómo podía haber llegado ya la policía? Los chicos se habían ido antes de que los policías llegaran a la casa del Timador a investigar la alarma. Y Timoteo debería seguir en el partido de hockey…

Por un momento, Griffin pensó en dar media vuelta con su bicicleta y salir de ahí pitando. ¿Pero qué tontería era esa? ¿Convertirse en un fugitivo y vivir como un prófugo sin volver a ver a su familia ni a sus amigos? No, no le quedaba otro remedio que enfrentarse a la situación y esperar lo mejor. Por lo menos no tenía encima la tarjeta. La policía no podría demostrar nada.

Se armó de valor, tiró sus guantes y la

media que se había puesto en la cabeza en un arbusto y pedaleó hasta su casa.

—¡Oye! ¡Tú!—. Dos policías uniformados corrían por el jardín. Una tercera persona iba detrás de ellos. Su padre.

Antes de que Griffin pudiera desmontar, el policía más grande lo agarró por debajo de los brazos y lo bajó de la bicicleta. Su compañero le quitó el SuperRecolector y se lo mostró al Sr. Bing.

—Señor, ¿es este el prototipo que robaron de su garaje?

¿Robado? De pronto Griffin lo vio todo con claridad. ¡Esto no tenía nada que ver con el robo! Su padre debió de haber bajado al garaje al oír los ruidos y al ver que su invento no estaba, llamó a la policía.

El Sr. Bing parecía sorprendido y avergonzado.

—Lo siento, agentes. Parece que les he hecho perder el tiempo. Este es mi hijo. —Después le dijo a Griffin—. ¿Qué hacías con mi prototipo?

Griffin estaba tan aliviado de que no tuviera que ver con la tarjeta de béisbol que le costaba poner cara de avergonzado.

—Ben quería ver cómo funcionaba. Estábamos recogiendo piñas de los árboles.

—No estarías cerca de Park Ex, ¿verdad? —dijo el policía mayor—. Hemos oído que hubo actos de vandalismo en la zona. Una ventana rota, una alarma.

—No —dijo el Sr. Bing—, la casa de su amigo no está en esa zona para nada. Me temo que todo fue culpa mía. Siento mucho haberlos hecho venir hasta aquí.

Griffin se quedó helado con la mirada fulminante de su padre mientras los policías se metían en su coche y se alejaban.

El Sr. Bing volvió a poner el invento en su sitio en el taller.

—Casi me das un ataque al corazón —dijo por fin—. Cuando fui al garaje y vi que el prototipo no estaba, casi pierdo la cabeza. He puesto mi sudor y mis lágrimas en esta criatura, eso por no mencionar casi todos nuestros ahorros.

—Lo siento, papá. —dijo Griffin, pero en realidad lo que quería decir era: "Vamos a tener dinero de sobra para desarrollar tu invento, y ni siquiera tendremos que vender la casa para hacerlo".

—¿En qué estabas pensando? Si tú y Ben querían una demostración, solo tenían que pedirlo. —Una sonrisa casi imperceptible se dibujó en su cara—. ¿Y bien? ¿Cómo fue? ¿Funcionó el prototipo según sus expectativas?

Era como la secuencia de una película: el tubo telescópico desafiando la gravedad para arrebatarle la tarjeta a Darren en el último instante.

—Oh, papá —dijo sinceramente—. ¡Ni en un millón de años hubiera creído lo que el SuperRecolector es capaz de hacer!

El mensaje de texto llegó a mitad del segundo periodo del partido de los Rangers contra los Maple Leafs:

SEGURIDAD ULTRATECH
ALERTA ELECTRÓNICA
HORA DE LA ALERTA: 8:47 P.M.

ATENCIÓN: TIMOTEO S. WENDELL
SE HA RECIBIDO UNA SEÑAL
DE ALARMA EN LA SIGUIENTE

DIRECCIÓN: 531 PARK AVENUE EXTENSION, CEDARVILLE, NY LA ESTACIÓN CENTRAL DE ULTRATECH HA REPORTADO EL INCIDENTE A LA POLICÍA

Las autopistas de la Ciudad de Nueva York nunca habían visto antes un Honda Element manejar a tal velocidad y con tanta insensatez. Metiéndose entre el tráfico, Timoteo S. Wendell se dirigía a toda pastilla por el este, hacia la salida de Cedarville. Debía de ir por lo menos a unas sesenta millas por hora cuando hizo chirriar el freno y se paró a centímetros de un auto de policía que había en la rampa de su garaje.

El comerciante respiraba con fuerza al subir los peldaños de la entrada y fijar la vista con sus ojos de huevo frito en la agente de policía que estaba en la puerta.

—¿Es usted el dueño? —preguntó.

El Timador asintió, pero se quedó ahí quieto, medio asfixiado, incapaz de hablar.

—Alguien ha entrado en la casa —le informó la policía—. Entraron por el tejado, por el tragaluz del baño. Parece que los

ladrones consiguieron lo que estaban buscando. Hicieron un agujero en su caja fuerte, probablemente con un soplete.

—¡Olvídese de la caja fuerte! —balbuceó Timoteo frenéticamente—. ¿Dónde está mi pavo?

—¿Su pavo?

El agitado comerciante pasó de largo y se dirigió a la cocina, donde lo recibió una vista terrorífica. Lo que había sido un pavo de veinte libras ahora era un esqueleto de como mucho tres libras. Luthor y el pastor alemán que había alquilado estaban uno al lado del otro, tumbados en el suelo, demasiado llenos de carne fría como para apenas mover la cabeza y lanzar un gruñido.

—Encontramos un sospechoso escondido en el sótano, un tal Sr. Lamar Fontaine. Pero no parece estar conectado con el crimen. Su tarjeta de identificación dice que trabaja para una compañía de subastas. Creemos que entró cuando se estaba cometiendo el robo y que los perros lo persiguieron hasta el sótano. Está bastante alterado.

—¿Pero y qué me dice de los ladrones? —aulló Timoteo—. ¿Por qué los perros no fueron tras ellos?

—Es imposible saberlo —contestó el oficial—. Seguramente usaron el pavo para distraerlos.

Timoteo sabía que la verdad era mucho peor. Podía ver a través de las costillas del pavo que la cavidad torácica estaba vacía. En la encimera estaba tirada la bolsa de plástico que había mantenido la tarjeta limpia y seca dentro del pavo.

El Bambino había desaparecido.

UNOS LADRONES ROBAN UNA TARJETA VALORADA EN UN MILLÓN LA NOCHE ANTES DE LA SUBASTA

En lo que se está considerando como el robo más espectacular de la historia de los coleccionistas de artículos de deportes, unos ladrones robaron una tarjeta del 1920 valorada en $1.000.000 en la casa de su dueño. La excepcional tarjeta, en la que salía el bateador Babe Ruth con el uniforme de los Medias Rojas de Boston durante su primera temporada con los Yankees, se la llevaron los ladrones que entraron en la casa con arneses de escalada para bajar por un tragaluz.

El intrépido robo se realizó bajo las narices de dos perros de guardia entrenados y un mensajero contratado por la Casa de Subastas de Worthington, donde la tarjeta se iba a subastar apenas doce horas después. La policía está investigando las pistas, incluyendo los arneses y una escalera plegable que encontraron en la escena…

El tranquilo y adormilado Cedarville de pronto había aparecido en el mapa. Las unidades móviles de televisión recorrían el pueblo, buscando Park Avenue Extension y el Emporio de Timoteo. Una flota de furgonetas equipadas con antenas satélite se alineaba frente al Centro Médico West Suffolk, donde habían llevado a Timoteo S. Wendell después de que sufriera un colapso nervioso.

—No esperaba tanta publicidad —murmuró Ben preocupado el viernes en la escuela—. Cada vez que enciendes la televisión, sale el Timador tirándose del pelo y lloriqueando.

—A ver si te enteras, es un millón de dólares —respondió Darren—. Lo que yo quiero saber es cuánto tiempo vamos a tener que mantenerlo en secreto hasta que podamos vender la tarjeta y conseguir nuestro dinero.

—¿Tu dinero? —Pitch estaba indignada—. Tú intentaste robárnosla a todos. No sé por qué deberías llevarte ni un solo centavo.

—Porque los puedo acusar a la policía —dijo Darren arrogantemente—. Les guste o no, estamos juntos en esto.

A Griffin no le gustaba la idea de que Darren se beneficiara a pesar de su traición, pero tenía que admitir que el enemigo tenía un buen argumento. Estaban en eso juntos. Todo el día, el equipo del robo se mantuvo unido como si fueran víctimas de un naufragio encaramadas a una pequeña lancha de salvamento.

Cuando Ben fue a la enfermería para su "medicina para las alergias", pasó por el centro de medios para echar un vistazo a la pantalla de televisión.

—Salimos en CNN —informó después de su siesta—. El volumen estaba bajo, pero en la parte de abajo de la pantalla leí que se piensa que sea un "trabajo profesional".

—Bien, eso podrían ser buenas noticias —musitó Griffin cautelosamente—. Profesional quiere decir que seguramente no sospecharán de unos niños.

—Chicos —llamó Savannah con una voz extraña—. Miren.

Los otros fueron hasta la ventana donde estaba ella. Dos autos de policía entraban en la rampa circular de la escuela.

Los ojos aterrorizados de Melissa se refugiaron tras la cortina de pelo.

—A lo mejor tenemos una asamblea sobre seguridad —sugirió Logan esperanzado.

Oh, cómo le hubiera gustado a Griffin que eso fuera verdad.

Unos minutos más tarde, se oyó una voz por los altoparlantes.

"Darren Vader, por favor, acuda a la oficina. Darren Vader a la oficina".

Con el corazón encogido, Griffin se dijo a sí mismo que había un millón de razones por las que un tipo tan desagradable como Darren podía haberse metido en problemas. Pero en el fondo sabía que era por la escalera.

"¿Cómo la pudo dejar ahí, en la escena del crimen?"

En el momento del robo le pareció que era problema de Darren y de nadie más, pero ahora se daba cuenta de que uno de los miembros podía llevar a la policía a todo el resto del equipo.

Griffin esperaba agonizante a que Darren volviera al salón de clases, pero nunca volvió. Savannah les comunicó la noticia con una mirada aterrorizada en los ojos. Desde su asiento, al lado de la ventana, había visto perfectamente que los padres de Darren se llevaban a su hijo a su casa.

“Antonia Benson, por favor, acuda a la oficina. Antonia Benson”.

—¿Pero qué pasa hoy con nuestra clase? —bromeó el Sr. Martínez—. Chicos, ¿es que robaron un banco o algo así? —Frunció el ceño al ver la expresión de pánico que se dibujaba en la cara de Pitch cuando cojeaba hacia la puerta—. Solo estaba bromeando.

Griffin tuvo una visión heladora: un montón de cuerdas de nylon atadas a un canalón roto, en el piso del cuarto de baño del Timador. Todo el mundo en Cedarville sabía que los Benson eran los únicos del pueblo que escalaban. Por supuesto, a los policías les resultaría fácil llegar a una conclusión.

¿Se estaría desmoronando el plan perfecto delante de sus propios ojos?

Al igual que Darren, Pitch no volvió al salón. Los otros miembros del equipo se pasaron el resto del día nerviosos y preocupados, preguntándose a quién llamarían después. Pero a las tres y media, los altoparlantes se mantuvieron en un silencio compasivo.

Después de la escuela, todo lo que Griffin podía hacer era un llamado a la calma.

—Admito que no tiene buena pinta, pero lo último que debemos hacer es dejar que cunda el pánico. Recuerden que todavía no sabemos nada seguro.

Como prueba del miedo que tenían todos, nadie entre los culpables rechistó ni media palabra. A estas alturas no había mucho que hacer excepto no perder la esperanza.

Sin embargo, de camino a casa, Ben no pudo seguir callado.

—¿Cuán mal están las cosas, Griffin? Es decir, si los policías lo descubren todo, ¿cuán serio es el problema?

—Es imposible saberlo —dijo Griffin seriamente—. Por un lado, somos niños. Por otro, entrar en casa de alguien es un crimen real. Y lo que nos llevamos vale un montón de dinero. Tengo un mal presentimiento con toda esta atención de los medios.

Cada uno se fue por su camino, y Griffin siguió hacia su casa, arrastrando los pies, sin ningunas ganas de llegar. Se quedó francamente sorprendido de no encontrarse a medio cuerpo de policía acampado en la entrada de su casa, esperándolo.

—¿Cómo te fue en la escuela hoy? —le preguntó su madre.

Miró por encima de su hombro. No había un batallón de policías registrando la casa en busca de la tarjeta perdida.

—Ya sabes, igual que siempre—. Rezó por que la situación se quedara así. No tener noticias eran buenas noticias.

Se dispuso a hacer sus tareas, pero no pudo ni empezar. Hubiera sido como si el emperador de Roma se hubiera puesto a jugar mientras se quemaba su ciudad. Las cuatro en punto. Sin novedad. Las cuatro y media. Todavía nada. ¿Sería posible que consiguieran salir de esta?

Estaba tan tenso que cuando el teléfono sonó, casi se da en el techo del salto que dio.

Era Pitch.

—No debería estar hablando contigo. Escucha, te he acusado. Lo siento muchísimo. Mis padres me obligaron. Y estoy casi segura de que Darren hizo lo mismo.

"¡Oh, no, no, nooooo!"

A pesar del estado de pánico, en el fondo tenía una extraña sensación de alivio, el alivio aterrorizador que un soldado debe

de sentir cuando se termina la espera y por fin empieza la batalla. Por lo menos ya no tendría que gastar energía deseando que pasara un milagro.

—No te preocupes, Pitch —dijo valientemente—. Gracias por avisarme.

Por la ventana de su habitación ya podía ver la fila de autos de policía que giraba hacia su calle. Había muy pocas probabilidades de que fueran a casa de otra persona.

Se había acabado la fiesta.

IDEAS ÚTILES
PARA CUANDO TE INTERROGA LA POLICÍA

Contesta SIEMPRE con estas TRES RESPUESTAS:

(i) YO NO LA ROBÉ. No puedes robar algo que ya es tuyo.

(ii) YO NO LA TENGO. Si registran la casa comprobarán que es verdad.

(iii) YO NO SÉ DÓNDE ESTÁ. También es verdad, porque es imposible saber si la tarjeta sigue en el buzón, en la oficina de correos o ya está camino a su destino.

Griffin nunca puso este último plan por escrito, pero lo tenía claramente en la cabeza cuando los policías fueron a preguntarle sobre el caso de la tarjeta robada de Babe Ruth.

No fue como los programas de policías que salen en la televisión. No hubo esposas, ni luces que queman en la cara, ni espejos de los que solo se ve por un lado. De hecho, ni siquiera fue a la comisaría. La interrogación se llevó a cabo en la sala de los Bing, con los padres de Griffin sentados a su lado.

El detective Vizzini era amable, pero era evidente que estaba perdiendo la paciencia.

—A lo mejor piensas que una pequeña tarjeta de béisbol sirve para coleccionarla y cambiarla y tirarla a una pared de ladrillos. Pero ese no es el caso de esta tarjeta. Esta vale más que una casa. En este mismo instante, en la Ciudad de Nueva York, se ha echado a perder una gran subasta porque se suponía que el evento principal era esta tarjeta.

—Yo no robé nada —dijo Griffin obstinadamente.

—Eso no fue lo que dijo Darren Vader. Eso no fue lo que dijo la hija de los Benson. Dos de mis oficiales estaban aquí anoche cuando tú llegaste con la cosa esa de tu padre. Justo en el momento perfecto. Soy policía desde hace demasiados años como para creer en coincidencias.

—Griffin —dijo su padre—, si sabes algo sobre esto, se lo tienes que decir al detective ahora mismo.

—No hay nada que decir —insistió Griffin, intentando mantener la voz firme—. Hay diez policías registrando la casa. Si hubiera escondido una tarjeta de béisbol, ¿no la habrían encontrado a estas alturas?

—Entonces, dime —exigió Vizzini—. Si no está en tu escritorio ni en tu casillero de la escuela y no parece estar aquí. ¿Qué hiciste con ella?

—No sé dónde está.

Vizzini frunció el ceño.

—¿Estás diciendo que no estabas en el 531 de Park Avenue Extension ayer por la noche?

—Yo no hice nada malo —dijo Griffin firmemente—. Ni he robado, ni he mentido sobre el caso.

El oficial intentó digerir las palabras. Cuando volvió a hablar, se dirigió a los padres de Griffin.

—Voy a darles algo de tiempo para que hablen con su hijo. Habrán notado que no he utilizado las palabras arresto, juicio o arresto de menores. Todavía.

—¿Necesitará Griffin un abogado? —dijo el Sr. Bing.

—Bien, eso depende de ustedes. Piensen por un minuto lo que ha perdido el Sr. Wendell. Si ustedes fueran él, ¿dirían "qué se le va a hacer" y se olvidarían del caso? Lo dudo mucho. —Se levantó—. Hasta que no se resuelva este caso, Griffin no puede salir de los límites del pueblo de Cedarville. Puede ir a la escuela, pero eso es todo lo lejos que le permitimos alejarse de su casa. Si lo hace, entonces empezaremos a utilizar palabras como arresto.

Con esa promesa colgando en el aire como una nube de humo tóxico, Vizzini llamó a su grupo de investigadores y se fueron de la casa.

—Muy bien, Griffin —dijo su padre cuando los autos de policía se alejaron—. Quiero que me cuentes toda la historia.

Griffin sabía que les debía a sus padres la verdad, y no porque no le quedara otro remedio que decirla. La policía había invadido su casa, hurgado entre sus cosas, amenazado con meter a su hijo en la cárcel. El había involucrado a sus padres en esto.

Decidió contarlo todo.

—¿Recuerdan el día que fui a dormir a casa de Stan Winter? Bueno, en realidad nunca fui. Ben y yo pasamos la noche en la vieja mansión de los Rockford, justo antes de que la demolieran.

Sus padres escucharon, con los ojos abiertos de sorpresa e incredulidad mientras su hijo les contaba los detalles del descubrimiento de la tarjeta de Babe Ruth, y cómo Timoteo lo había engañado para que se la vendiera por poco dinero. Confesó todo, el día que entraron en la tienda sin éxito, cómo juntaron al equipo y las preparaciones para el robo, hasta el asalto al 531 de Park Avenue Extension.

—¿Pero ahora dónde está la tarjeta? —exigió su padre—. ¿Dónde la escondiste para que medio departamento de policía no la pueda encontrar?

—Está a salvo —le aseguró Griffin—. No estaba mintiendo cuando le dije al oficial Vizzini que no sabía exactamente dónde estaba. Pero la podré recuperar cuando llegue el momento.

—¡El momento es ahora mismo! —dijo su madre enojada—. ¡No puedo creer que estemos teniendo esta conversación! Cuando eras más pequeño, ¿en algún momento te transmitimos el mensaje de que robar estaba bien?

—¡Por supuesto que no! —exclamó Griffin—. Por eso lo hice, para que el Timador no se saliera con la suya por haberme robado. ¡Piensen lo que vale esa tarjeta!

—No me importa lo que valga —contestó su madre gritando—. ¡Tu futuro vale mucho más! ¡Deja de jugar y dale a la policía lo que quiere!

—¿Por qué no hacemos lo siguiente? —dijo el Sr. Bing—. Le damos la tarjeta a la policía para que te dejen tranquilo. Después contratamos un abogado y luchamos contra este tipo, Timoteo, en los juzgados.

—Sé realista, papá. Sabes que no podemos pagar un abogado. Ese es el motivo por el

que empezó todo esto, para conseguir dinero y no tener que vender la casa. —Hubo un silencio de sorpresa—. Venga, vamos. Hay un cartel en el jardín que dice SE VENDE. Reconozcan que tengo algo de mérito por tener cerebro y darme cuenta de lo que está pasando aquí.

Cuando el Sr. Bing volvió a hablar, tenía la cara gris.

—Sé que estamos teniendo algunos problemas de dinero, pero tu madre y yo nunca pensamos que te afectaría de esta manera.

—No se culpen. No deberíamos tener problemas de dinero. ¡Esa tarjeta es nuestra!

—Ay, Griffin —la Sra. Bing estaba a punto de llorar—, ¿cómo te has podido meter en un lío así?

Durante toda la planificación y la ejecución del robo, Griffin nunca había tenido ni un solo remordimiento. Ahora, al ver lo preocupados que estaban sus padres y ver cómo la situación se sumaba a sus problemas, sintió remordimiento.

Más adelante, estaba sentado en su cuarto medio a oscuras, intentando no oír el sonido

de las voces de sus padres discutiendo en el piso de abajo. Por primera vez no discutían sobre dinero. Esta vez hablaban sobre su hijo el ladrón.

Por primera vez caló. Había planeado una operación con las habilidades de un maestro de ajedrez, pero no había pensado qué iban a hacer una vez que tuvieran la tarjeta en su posesión. ¿Es que acaso esperaba que el Timador se rindiera sin luchar? ¿Qué la policía se olvidara de todo después de investigar y no encontrar nada? Eso estaba mal, pero lo que estaba aun peor era que ni siquiera había pensado en sus padres. Como si ellos no hubieran notado que algo raro estaba pasando.

¿Estaba loco o sencillamente era estúpido? Realmente ya no tenía ningún derecho a llamarse el Hombre del Plan.

La voz de su madre se oyó por las escaleras.

—¡Tenemos que obligarlo a devolver la tarjeta! ¡Nuestra labor como padres es asegurarnos que no arruine su vida! ¡Solo tiene once años!

Las palabras de su esposo fueron más calmadas y llenas de dolor.

—Podemos ordenárselo, gritarle, castigarlo y encerrarlo en su cuarto. Pero si no nos lo quiere contar, no podemos hacer absolutamente nada.

Lo que dijo su padre le sorprendió un poco al principio, pero Griffin inmediatamente se dio cuenta de que tenía razón. Por muchos adultos involucrados que hubiera, él era el único que tenía acceso a la tarjeta. Y ni sus padres, ni el Timador, ni la casa de subastas, ni la policía, ni siquiera el presidente podían cambiar eso.

Esa sensación lo tenía que haber hecho sentirse poderoso, pero en realidad se sentía atrapado y muy solo.

Ben llamó el sábado por la mañana, pero a Griffin le daba miedo hablar demasiado. ¿Qué pasaría si la policía hubiera intervenido el teléfono?

—Oye, Ben, ¿pasó algo inusual ayer? ¿Tuviste alguna visita en tu casa?

—Ah, sí —respondió Ben nerviosamente—. Creo que tuvimos… visita. Hablaron mucho sobre ti. Las visitas, claro. ¿Estás bien?

—Más o menos —dijo Griffin—. De momento. ¿Y tú?

—Todavía sigo sordo de un oído por los gritos de mi madre. —Hubo un silencio incómodo—. ¿Qué tal la manzana?

—No sé nada de una manzana —dijo Griffin después de un largo silencio. Quería

decir: "Está bien. Sigue escondida. Está a salvo". Pero no pensaba arriesgarse a mencionar la tarjeta. En ese momento era el objeto más preciado de Nueva York y sus alrededores.

—Ah, ya... Entiendo —tartamudeó Ben—. ¿Has visto el periódico? Hablan mucho de lo que pasó pero no mencionan ningún nombre. Esas son buenas noticias, ¿no?

—Ya no sé lo que son buenas o malas noticias.

La única buena noticia era que no lo habían arrestado. Esperaba que sucediera en cualquier momento. Podía oír las sirenas de policía en la distancia con cualquier sonido normal de su casa: el ruido de la computadora, el sonido del microondas, el motor de la nevera. Pasó el fin de semana en un estado constante de terror, durmiendo no más de cinco o diez minutos cada vez.

Estaba asombrado de seguir libre cuando volvió a la escuela el lunes por la mañana. Tuvo que armarse de mucho valor para caminar por los pasillos. Pero, para su sorpresa, no se clavaron todas las miradas en él. Era cierto que el robo había sido la

gran noticia en Cedarville, pero no parecía que la gente pensara que él era el principal sospechoso. A lo mejor tenía sentido. ¿No era lo normal en el mundo de los adultos que pensaran que unos chicos no podían llevar a cabo un plan tan elaborado?

Los otros miembros del equipo, Pitch, Savannah, Melissa, Longa y Darren, mantuvieron la distancia. Todos sabían que la cosa estaba que ardía.

—Seguramente les han ordenado que se mantengan alejados de ti —comentó Ben—. Es lo que me han dicho a mí. Fue una de las primeras cosas que gritó mi madre. Es un poco estúpido, ¿no? Es decir, la policía ya sabe quienes somos.

—No te preocupes —lo tranquilizó Ben—. Cargaré con todas las culpas. Mi plan, mi problema. —Miró a su alrededor intranquilo—. Para serte sincero, no puedo creer que los policías todavía no hayan venido a buscarme.

—¿Viste la historia en el periódico del domingo? —preguntó Ben—. Prácticamente acusaban a Timoteo de haber timado a alguien para conseguir la tarjeta. Todo el mundo se va a enterar del tipo de ladrón que es.

—Eso quiere decir que uno de nosotros ha hablado demasiado —dijo Griffin con un sobresalto—. Seguramente fue Darren. Una cosa es contestar unas preguntas y otra confesar paso por paso toda la operación. El mismo artículo tenía una descripción muy larga de cómo el SuperRecolector sacó la tarjeta del árbol del Timador. Cualquiera puede mirar en la oficina de patentes y ver que el invento es de mi padre. Y eso los llevaría hasta mí. ¡Estoy frito!

Pero eso era lo increíble: no estaba frito. Aunque la imaginación febril de Griffin le hacía ver un oficial de policía detrás de cada poste del teléfono, el detective Vizzini no volvió a buscarlo. No fue ese día, ni el martes, ni siquiera el miércoles. La gente seguía hablando del robo de la tarjeta de béisbol, pero el mundo siguió moviéndose.

Incluso a Timoteo S. Wendell le habían dado el alta en el hospital y volvía a estar detrás del mostrador de su tienda. No tenía muchos clientes. Se había corrido la voz de que el comerciante no era de fiar.

A Griffin esa situación le llegaba al corazón.

Era un carbón ardiendo en una noche helada, una pequeña medida de justicia.

¿Significaría eso que el calor intenso empezaba a enfriarse? ¿Estaría mal de la cabeza por pensar eso? Incluso sus padres habían dejado que Ben fuera a su casa durante un par de horas para que pudieran trabajar juntos en su proyecto de ciencias. Por lo menos su madre había dicho que estaba bien. A su padre últimamente se lo veía poco. Griffin no podía evitar pensar que su padre lo estaba evitando de puro coraje y preocupación por todo el asunto. Eso hacía que estuviera tremendamente triste.

—¿Has notado cómo me hablan los otros del grupo en la escuela? —susurró Ben mientras investigaba—. Me preguntan qué está pasando con… ya sabes… la manzana.

—Diles que esperen —aconsejó Griffin—. Esto todavía no se ha terminado.

—¿Quieres decir que la tienes?

—Sé dónde encontrarla —contestó Griffin crípticamente.

—¿Adónde la enviaste? —Ben no pudo contenerse—. ¿Quién nos la está guardando?

—No es buena idea que lo sepas.

Una prueba de su amistad era que Ben no tenía ni la más mínima sospecha en su amigo. Confiaba en Griffin totalmente y tenía fe en el Hombre del Plan.

—¿Cuándo piensas que estaremos a salvo para ir a buscarla? Ya ha pasado casi una semana. ¿Cuánto tiempo tenemos que esperar?

Esa era la pregunta del millón. La costa parecía estar despejada. ¿Pero lo estaría de verdad? El hecho de que habían pasado seis días no quería decir que el robo no había ocurrido. Y el hecho de que revelaran que el Timador se merecía lo que le había pasado no descartaba el que le hubieran quitado la tarjeta en su propia casa.

Y aun así, ¿dónde estaba la policía? No estaba en la casa de los Bing. Ni en la escuela. Griffin no podía quitarse la sensación de que lo estaban observando, pero era exactamente eso, una sensación. Los hechos sugerían que la policía se estaba dedicando a otra cosa. Los otros crímenes no habían dejado de suceder por el robo de la tarjeta. Tenían otros casos, leyes que implementar, asuntos policiales de los que encargarse.

"Eso espero", pensaba.

Griffin sabía que cuanto más esperara, más a salvo estarían. También sabía que cuánto más tiempo estuviera la tarjeta por ahí, mayor era la probabilidad de que le pasara algo.

Analizó la situación de todas las maneras posibles y la respuesta siempre era la misma.

Había llegado el momento.

31

Las tres de la mañana.

Una figura oscura abrió la puerta de atrás de la casa de los Bing y salió al patio. Escondida entre las sombras, la figura bajó la calle por los jardines, saltando las vayas y metiéndose entre los arbustos. Al final de la cuadra, se permitió el lujo de ir a la acera, pero se mantuvo alejada de la luz de las farolas.

Las ventanas estaban oscuras y las calles desiertas. Podía ver en la oscuridad un cuarto de milla abajo. Todos los días, de camino a la escuela, había pasado por ese mismo lugar y había hecho un esfuerzo por no mirar. Todavía no. No bajo la mirada vigilante de la policía. Pero aquella noche no miraba nadie.

Solo estaban Griffin Bing y —él esperaba— George Herman “Babe” Ruth.

Ya no había escombros, pero los cimientos de la vieja mansión de los Rockford reflejaban un color blanco grisáceo bajo la luz de la luna. En la acera se mantenía la única parte de la mansión que había escapado de la demolición: el buzón, oxidándose encima de su poste.

Al acercar la mano para abrirlo, Griffin notó que le temblaba.

“¿Qué pasará si no está ahí?”

¿Qué iba a pasar si un cartero sensato se hubiera negado a dejar una carta en una casa que obviamente habían demolido?

“No. La bandera está hacia arriba. Lleva así tres días. Ahí hay correo... mi correo”.

Sacó el contenido del buzón y lo estudió.

“¿Un mes gratis de Netflix?” Un momento, había otro sobre. Uno más pequeño.

Una carta con un millón de dólares.

La abrió y dejó caer la tarjeta de Babe Ruth en la mano.

Las luces de alta intensidad aparecieron de repente, tan cegadoras que se quedó congelado como una mariposa en un alfiler.

El detective Vizzini salió de detrás del fulgor deslumbrante y le quitó la tarjeta de coleccionista de la mano. En ese momento, Griffin se dio cuenta de que las miradas que notaba en el cuello habían sido reales al fin y al cabo.

Vizzini dijo las dos palabras que Griffin llevaba temiendo desde hacía seis días:

—Estás arrestado.

No lo encerraron en una celda. No lo encerraron para nada. Estaba sentado en una silla de madera en medio de la comisaría mientras Vizzini escribía su informe en una máquina de escribir que debía tener unos cien años.

Sabía que se había metido en un buen lío porque todos los agentes de policía que estaban de guardia esa noche habían pasado a ver el chico que se había colado en una casa con un sistema de alarma UltraTech y dos perros de guardia y había salido con el premio de un millón de dólares.

"Atrapado". La palabra lo hacía temblar. En un plan como el suyo había muchos factores en juego, pero el que los atraparan

siempre estaba al final de la lista. Lo peor que podía haber pasado había pasado. Para esto no había un contraataque, no había una solución. Esto era un desastre absoluto.

¿Cuántas veces se había repetido que en realidad esto no era robar, que la tarjeta le pertenecía a él legítimamente? Ahí, en la comisaría de policía, se dio cuenta de que su argumento no le iba a durar ni cinco segundos. Griffin siempre había intentado revelarse cuando los adultos ignoraban a los niños, pero ahora que lo habían arrestado, se había puesto en las manos de los adultos mucho más que nunca.

¿Qué pasaría a continuación? ¿Habría un juicio? ¿Lo meterían en la cárcel? ¿En una cárcel juvenil? Podía acabar así. Realmente.

Su único consuelo era que estaba ahí solo, y que Ben no estaba a su lado para compartir su destino. Ditto Pitch, Savannah, Logan, Melissa e incluso Darren. No podía predecir qué les esperaba en el futuro, pero rezaba para ser capaz de seguir su plan hasta el final y cargar con todas las culpas.

El detective Vizzini seguía escribiendo en la misma página. Debía de ser el

mecanógrafo más lento del país. Griffin se moría de los nervios cada vez que daba a una tecla. "¿Cómo me he podido meter en este lío?"

—Griffin —dijo una voz detrás de él.

Su padre tenía un aspecto desastroso: llevaba la parte de arriba del pijama en lugar de una camisa, pantalones de deporte, pantuflas, un abrigo y el pelo como si acabara de salir de la cama. Pero para Griffin nunca había tenido mejor aspecto. Corrió a sus brazos, balbuceando como un niño de dos años.

—¡Lo siento, papá! ¡Lo siento mucho!

—Está bien, hijo.

Pero no estaba bien. Nunca estaría bien.

Vizzini sacó la hoja de la máquina de escribir y la puso en la mesa, enfrente de Griffin.

—Firma aquí abajo.

Griffin se alejó de la página como si fuera una serpiente viva. ¿Una confesión? ¿O algo peor?

—¿Qué dice?

—Tranquilízate —lo calmó el oficial—. Es solo una declaración de que encontraste la tarjeta de béisbol en la vieja mansión de los Rockford.

Griffin estaba atónito.

—¿Para qué quiere eso?

—Hay una señora en Baltimore que se llama Winnifred Rockford-Bates. Tiene noventa y siete años y es la última superviviente de la familia Rockford. La tarjeta en realidad es suya. A lo mejor te sirve de consuelo el saber que tu amigo Timoteo no está de suerte.

—¿Y qué va a pasar cuando firme? —preguntó Griffin temblando.

—Entonces nos iremos a casa —dijo su padre amablemente.

¿Qué? ¿Ir a casa? ¿Sería posible?

Griffin se dio la vuelta para mirar al sargento a la cara.

—¿De verdad?

—Espero que sepas la suerte que tienes —dijo Vizzini—. El Sr. Wendell no va a presentar cargos. Quiere evitar que investiguen si realmente burló la ley cuando te engañó. Es un final feliz al fin y al cabo, más feliz de lo que te mereces.

—Gracias, oficial. ¡Muchas gracias!

Él y su padre salieron al auto y Griffin

notó el aire frío de la mañana. Una señal de que el invierno se acercaba, o a lo mejor era el olor a la libertad. Sabía lo cerca que había estado de perderlo todo.

El Sr. Bing manejó a la carretera.

—Es curioso cómo terminan las cosas —comentó—. Aunque Timoteo no te hubiera engañado cuando te compró la tarjeta, en realidad tampoco habría sido tuya. Al final, siempre hubiera pertenecido a esa anciana de Baltimore.

Griffin asintió con tristeza a pesar de su alivio.

—Pero hubiera sido maravilloso. Un millón de dólares. O por lo menos cientos de miles.

—A lo mejor es una señal —dijo el Sr. Bing—. El dinero no te llega tan fácilmente.

—No me importa cómo llegue el dinero —murmuró Griffin—. Lo que no quiero es que vendan la casa y nos mudemos.

El Sr. Bing pisó los frenos y el auto rechinó hasta pararse por completo en medio de la calle desierta.

—¡Ni siquiera hemos tenido tiempo para decírtelo!

—¿Decirme qué? —dijo Griffin.

—¡Toda esa publicidad sobre la tarjeta de béisbol ha despertado mucho interés en el SuperRecolector! ¡Tengo varios inversores que me van a apoyar durante todo el proceso!

Griffin se quedó mirando a su padre.

—¿Eso quiere decir que…

—¡Que ya no vamos a vender la casa! ¡Todo va a salir bien!

—Nunca pensé que te volvería a ver.

Logan Kellerman subió al porche del 530 de Park Avenue Extension y se quedó delante del anciano en la mecedora.

—¿Cómo está usted, Sr. Mulroney? —preguntó.

—Más viejo y más sabio. Ahora sé que tu repentino interés por el backgammon era para distraerme y que no viera lo que estaba pasando en la casa de enfrente. Tengo que admitirlo, nunca pensé que eras un ladrón.

—No lo soy. Soy un actor —dijo Logan.

—Pues debes de ser realmente bueno —gruñó Mulroney—. Desde luego, a mí me la pegaste. Pensé que tenía un amigo.

—No todo fue actuación —admitió Logan.

Y al no obtener respuesta, sacó el tablero de backgammon y empezó a montarlo en la mesa inestable que había entre ambos.

El minero retirado lo miró con cara de sospecha.

—No me digas que aquí mi vecino tiene unos candelabros de plata que no pudieron llevarse en el primer intento.

—¿Cómo vamos, diecisiete a catorce? —dijo Logan acercando una silla.

—En tus sueños, jovencito —Mulroney soltó una carcajada—. Nunca me has ganado doce partidas.

—Hoy empieza la revancha —dijo Logan y tiró los dados.

La Srta. Winnifred Rockford-Bates de Baltimore, Maryland, era una millonaria excéntrica que pensaba que Babe Ruth era una barra de caramelo. Generosamente le regaló la tarjeta de béisbol de 1920 a su familiar más joven, Darren Vader de Cedarville, Nueva York.

A Griffin no le sentó nada bien.

—Siempre pensé que lo más importante era la planificación. ¡Pero ningún plan hubiera podido prevenir una calamidad como esta!

—Darren siempre había dicho que era familia de los Rockford —le recordó Ben—. No pensamos que decía la verdad.

—Siempre hay una primera vez, supongo —gruñó Griffin—. Este es el final del mundo.

Lo consoló menos aún que la tarjeta se vendiera por $974.000, lo que la convirtió en el segundo artículo de deportes para coleccionistas más valioso de la historia.

—No va a poder disfrutar ni un centavo de todo eso —predijo Ben para intentar consolar a su amigo—. Sus padres lo harán ponerlo todo en el banco para ahorrar para la universidad o algo así.

La realidad fue mejor que eso. Los padres de Darren no querían que su hijo se beneficiara de las ganancias de un robo. Lo obligaron a donar la mayor parte del dinero al Museo de Cedarville. El gran regalo aumentó los fondos del museo y permitió que empezaran las obras de construcción.

Mientras las excavadoras cobraban vida en una parte del pueblo, en la otra, el Emporio

de Artículos Memorables y de Colección de Timoteo cerraba sus puertas para siempre. La tienda nunca se recuperó del escándalo de que el dueño había engañado a Griffin para quedarse con la tarjeta de Babe Ruth. Timoteo S. Wendell se mudó a California, dejando solo una cosa detrás: a su perro Luthor, al que mandó a la perrera del pueblo. El doberman estuvo ahí menos de una hora porque fue adoptado por Savannah Drysdale. Era la unión perfecta.

El Museo de Cedarville abrió, como estaba planificado, el verano siguiente, en el lugar donde había estado la vieja mansión de los Rockford. Casi todos los habitantes del pueblo acudieron a la ceremonia de inauguración y visitaron las exposiciones de artefactos de la época de sus fundadores y las salas conmemorativas a los héroes de guerra que habían crecido en la zona.

Lo que todo el mundo sabía, pero no estaban dispuestos a admitir era que el evento más emocionante que había sucedido en la historia de esta comunidad adormilada era el Gran Robo de la Tarjeta de Béisbol. Esa era la razón por la que la mayor parte de la multitud se aglomeraba frente a una fotografía enmarcada de siete chicos de sexto grado.

La placa no mencionaba nada sobre el famoso robo. Decía:

UN AGRADECIMIENTO ESPECIAL A DARREN VADER, LOGAN KELLERMAN, MELISSA DUKAKIS, ANTONIA BENSON, SAVANNAH DRYSDALE, BENJAMIN SLOVAK Y GRIFFIN BING POR UN TRABAJO BIEN HECHO.

La foto estaba enfrente de un gran ventanal que daba a un parque de monopatines. La construcción del parque había sido la única condición de la donación al museo.

La idea del parque salió de una vieja propuesta que se encontró en una carpeta. Su autor era uno de los chicos que aparecían en la fotografía: el líder del grupo, el Hombre del Plan.